'사고력수학의 시작'

팡세

pensées

KB087088

B4

2학년 | 카운팅

사고가 자라는 수학
씨투엠

사고력 수학을 묻고
팡세가 답해요

Q: 사고력 수학은 '왜' 해야 하나요?

사고력 수학은 아이에게 낯선 문제를 접하게 함으로써 여러 가지 문제 해결 방법을 아이 스스로 생각하게 하는 것에 목적이 있어요. 정석적인 한 가지 풀이법만 알고 있는 아이는 결국 중등 이후에 나오는 응용 문제에 대한 해결력이 현저히 떨어지게 되지요. 반면 사고력 수학을 통해 여러 가지 풀이법을 스스로 생각하고 알아낸 경험이 있는 아이들은 한 번 막히는 문제도 다른 방법으로 뚫어낼 힘이 생기게 된답니다. 이러한 힘을 기르는 데 있어 사고력 수학이 가장 크게 도움이 된다고 확신해요.

Q: 사고력 수학이 '필수'인가요?

No but Yes! 초등 수학에서 가장 필수적인 것은 교과와 연산이지요. 또 중등에서의 서술형 평가를 대비하기 위한 서술형 학습과 어려운 중등 도형을 헤쳐나가기 위한 도형 학습 정도를 추가하면 돼요. 사고력 수학은 그 다음으로 중요하다고 할 수 있어요. 다만 만약 중등 이후에도 상위권을 꾸준하게 유지하겠다고 하시면 사고력 수학은 필수랍니다.

Q: 사고력 수학, 꼭 '어려운' 문제를 풀어야 하나요?

No! 기존의 사고력 수학 교재가 어려운 이유는 영재교육원 입시 때문이었어요. 상위권 중에서도 더 잘하는 아이, 즉 영재를 골라내는 시험에 사고력수학 문제가 단골로 출제되었고, 이에 대비하기 위해 만들어진 것이 초창기 사고력 수학 교재이지요. 하지만 모든 아이들이 영재일 수는 없고, 또 그래야할 필요도 없어요. 사고력 수학으로 영재를 확실하게 선별할 수 있는 것도 아니에요. 따라서 사고력 수학의 원래 목적, 즉 새로운 문제를 풀 수 있는 능력만 기를 수 있다면 난이도는 중요하지 않답니다. 오히려 어려운 문제는 수학에 대한 아이들의 자신감을 떨어뜨리는 부작용이 있다는 점! 반드시 기억해야 해요.

Q: 사고력 수학 학습에서 어떤 점에 '유의'해야 할까요?

가장 중요한 것은 아이가 스스로 방법을 생각할 수 있는 시간을 충분히 주는 거예요. 엄마나 선생님이 옆에서 방법을 바로 알려주거나 해답지를 줘버리면 사고력 수학의 효과는 없는 거나 마찬가지랍니다. 설령 문제를 못 풀더라도 아이가 스스로 고민하는 습관을 가지고, 방법을 찾아가는 시간을 늘리는 것이 아이의 문제해결력과 집중력을 기르는 방법이라고 꼭 새기며 아이가 스스로 발전할 수 있는 가능성을 믿어 보세요.

또 하나 더 강조하고 싶은 것은 문제의 답을 모두 맞힐 필요가 없다는 거예요. 사고력 수학 문제를 백점 맞는다고 해서 바로 성적이 쑥쑥 오르는 것이 아니에요. 사고력 수학은 훗날 아이가 더 어려운 문제를 풀기 위한 수학적 힘을 기르는 과정으로 봐야 하는 거지요. 그러니 아이가 하나 맞히고 틀리는 것에 일희일비하지 말고 우리 아이가 문제를 어떤 방법으로 풀려고 했고, 왜 어려워 하는지 표현하게 하는 것이 훨씬 중요하답니다. 사고력 수학은 문제의 결과인 답보다 답을 찾아가는 과정 그 자체에 의미가 있다는 사실을 꼭! 꼭! 기억해 주세요.

팡세의 구성과 특징

1. 패턴, 퍼즐과 전략, 유추, 카운팅 - 새로운 시대에 맞는 새로운 사고력 영역!

2. 아이가 혼자서도 술술 풀어나가며 자신감을 기르기에 딱 좋은 난이도!

3. 하루 10분 1장만 풀어도 초등에서 꼭 키워야 하는 사고력을 쑥쑥!

일일 소주제 학습

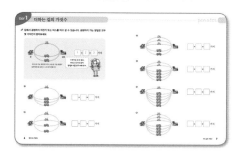

하루에 10분씩 매일 1장씩만 꾸준히 풀면 돼.

5일 동안 배운 것 중 가장 중요한 문제를 복습하는 거야!

주차별 확인학습

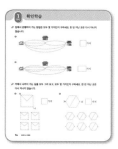

월간 마무리 평가

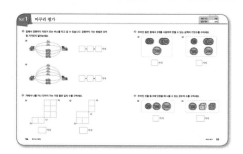

4주 동안 공부한 내용 중 어디가 부족한지 알 수 있다. 삐리삐리~

이 책의 차례

B4

1 길의 가짓수   5

2 최단 경로   17

3 금액 만들기   29

4 가짓수의 곱   41

마무리 평가   53

pensées

길의 가짓수

DAY **1** 더하는 길의 가짓수 ———— 6

DAY **2** 곱하는 길의 가짓수 ———— 8

DAY **3** 길의 가짓수 ———— 10

DAY **4** 사각형 모양의 길 ———— 12

DAY **5** 육각형 모양의 길 ———— 14

확인학습 ———— 16

더하는 길의 가짓수

✏️ 집에서 공원까지 자전거 또는 버스를 타고 갈 수 있습니다. 공원까지 가는 방법은 모두
몇 가지인지 알아보세요.

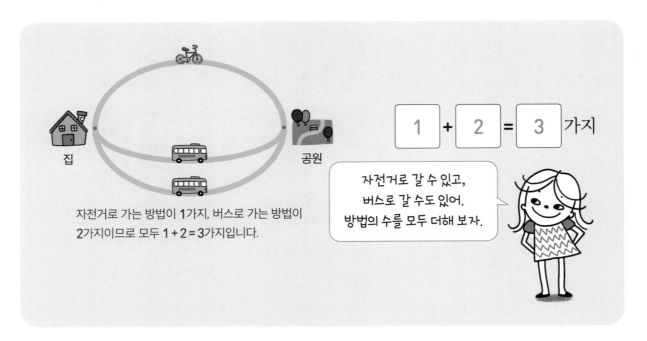

자전거로 가는 방법이 1가지, 버스로 가는 방법이
2가지이므로 모두 1 + 2 = 3가지입니다.

자전거로 갈 수 있고,
버스로 갈 수도 있어.
방법의 수를 모두 더해 보자.

❶

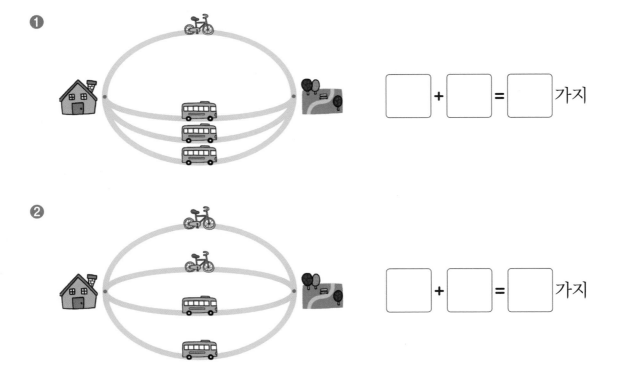

$$\boxed{} + \boxed{} = \boxed{} \text{ 가지}$$

❷

$$\boxed{} + \boxed{} = \boxed{} \text{ 가지}$$

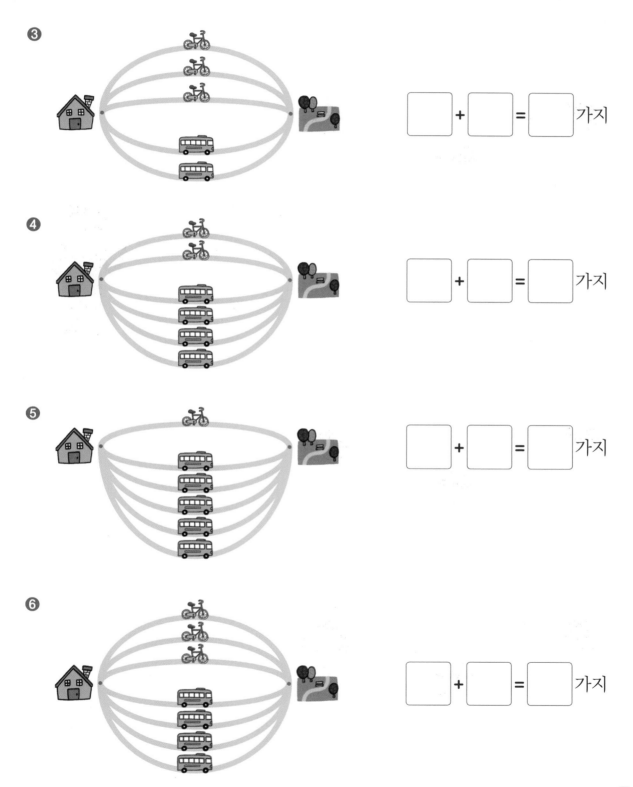

❸ □ + □ = □ 가지

❹ □ + □ = □ 가지

❺ □ + □ = □ 가지

❻ □ + □ = □ 가지

곱하는 길의 가짓수

✏️ 집에서 문구점을 지나 학교까지 가는 방법은 모두 몇 가지인지 알아보세요. 한 번 지난 곳은 다시 지나지 않습니다.

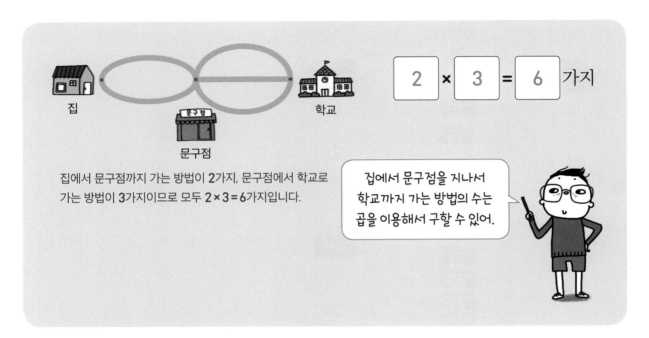

집에서 문구점까지 가는 방법이 2가지, 문구점에서 학교로 가는 방법이 3가지이므로 모두 2×3=6가지입니다.

집에서 문구점을 지나서 학교까지 가는 방법의 수는 곱을 이용해서 구할 수 있어.

❶

$\boxed{} \times \boxed{} = \boxed{}$ 가지

❷

$\boxed{} \times \boxed{} = \boxed{}$ 가지

❸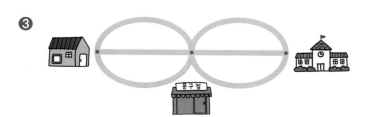

$$\boxed{} \times \boxed{} = \boxed{}\ 가지$$

❹

$$\boxed{} \times \boxed{} = \boxed{}\ 가지$$

❺

$$\boxed{} \times \boxed{} = \boxed{}\ 가지$$

❻

$$\boxed{} \times \boxed{} = \boxed{}\ 가지$$

길의 가짓수

✏️ 집에서 은행까지 가는 방법은 모두 몇 가지인지 구하세요. 한 번 지난 곳은 다시 지나지 않습니다.

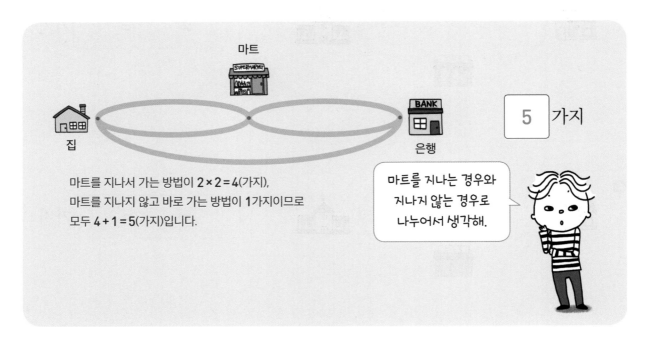

마트를 지나서 가는 방법이 **2 × 2 = 4**(가지),
마트를 지나지 않고 바로 가는 방법이 **1**가지이므로
모두 **4 + 1 = 5**(가지)입니다.

마트를 지나는 경우와 지나지 않는 경우로 나누어서 생각해.

5 가지

❶

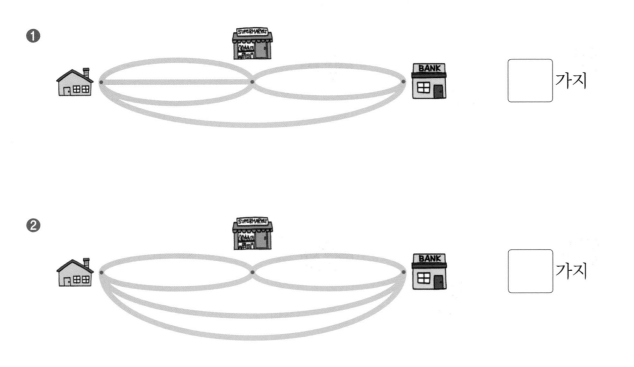

가지

❷

가지

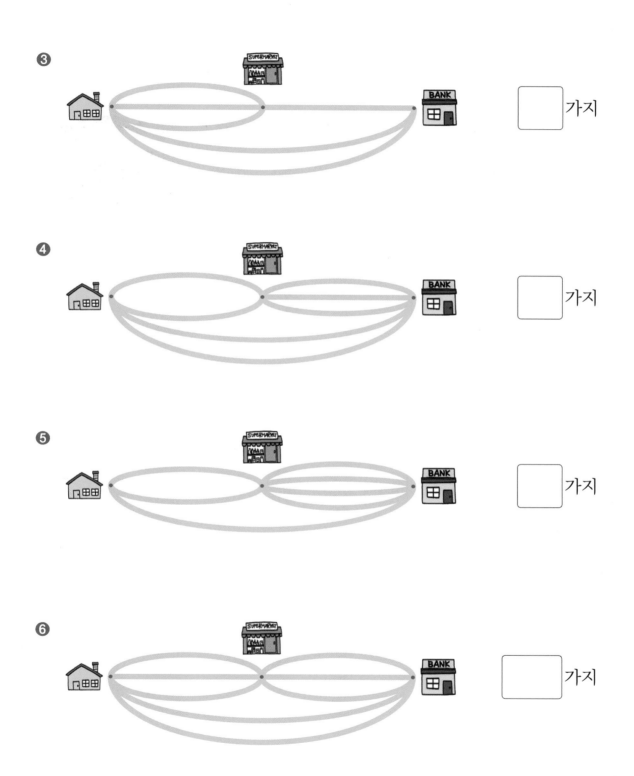

❸ ☐ 가지

❹ ☐ 가지

❺ ☐ 가지

❻ ☐ 가지

✎ **가**에서 **나**까지 가는 길을 모두 그려 보고, 모두 몇 가지인지 구하세요. 한 번 지난 곳은 다시 지나지 않습니다.

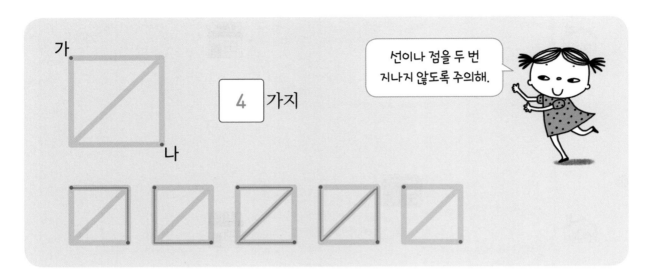

선이나 점을 두 번 지나지 않도록 주의해.

❶

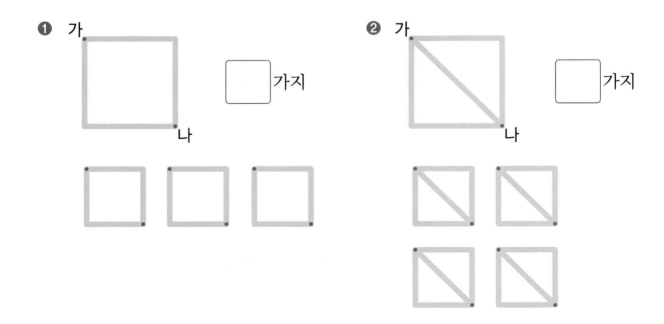

❸ 가

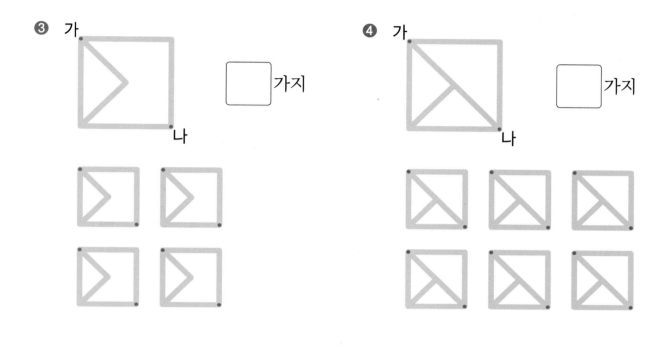

가지

❹ 가

가지

❺ 가

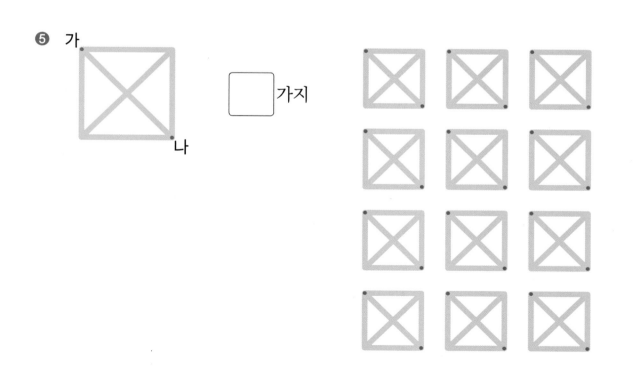

가지

✏️ **가**에서 **나**까지 가는 길을 모두 그려 보고, 모두 몇 가지인지 구하세요. 한 번 지난 곳은 다시 지나지 않습니다.

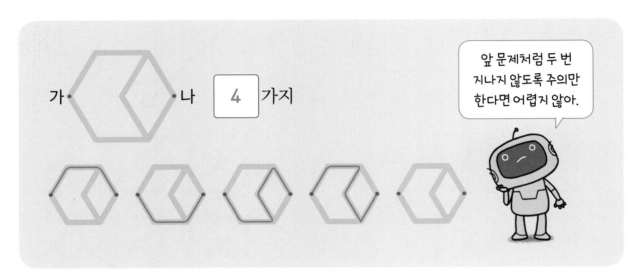

❶

가 • 나 ☐ 가지

❷

가 • 나 ☐ 가지

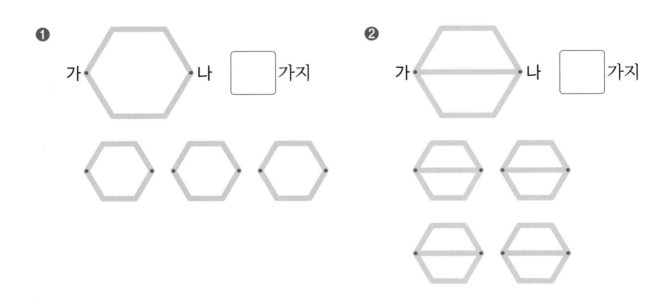

❸ 가  나 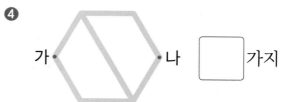 가지

❹ 가 나 가지

❺ 가 나 가지

✏️ 집에서 은행까지 가는 방법은 모두 몇 가지인지 구하세요. 한 번 지난 곳은 다시 지나지 않습니다.

❶

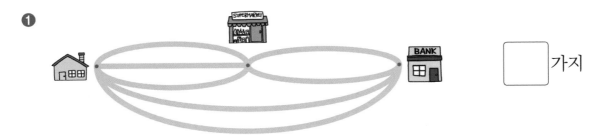

가지

❷

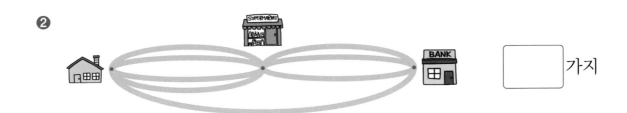

가지

✏️ **가**에서 **나**까지 가는 길을 모두 그려 보고, 모두 몇 가지인지 구하세요. 한 번 지난 곳은 다시 지나지 않습니다.

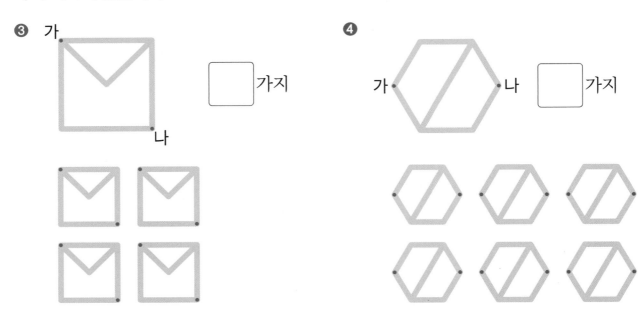

가지

가지

최단 경로

DAY 1 최단 경로의 가짓수 (1) ⋯⋯⋯ 18

DAY 2 최단 경로의 가짓수 (2) ⋯⋯⋯ 20

DAY 3 들렀다 가기 (1) ⋯⋯⋯ 22

DAY 4 들렀다 가기 (2) ⋯⋯⋯ 24

DAY 5 지름길 경로 ⋯⋯⋯ 26

확인학습 ⋯⋯⋯ 28

최단 경로의 가짓수 (1)

✏️ **가**에서 **나**까지 가는 가장 짧은 길을 구하려고 합니다. 길이 모이는 곳에 길의 수를 써넣고, 가장 짧은 길의 수를 구하세요.

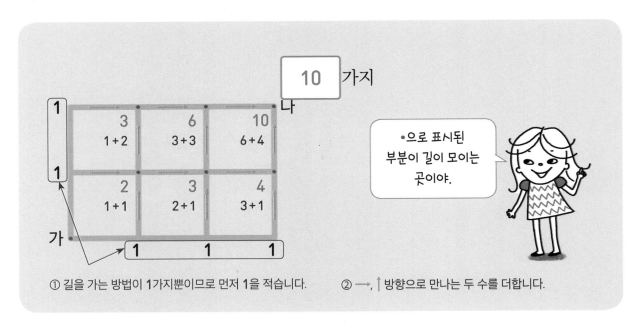

① 길을 가는 방법이 **1**가지뿐이므로 먼저 **1**을 적습니다.

② →, ↑ 방향으로 만나는 두 수를 더합니다.

❶

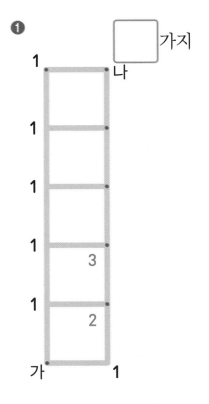

❷

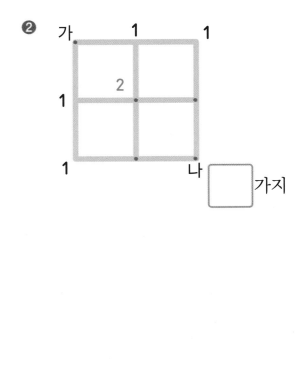

❸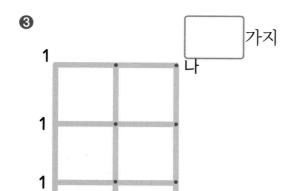

❹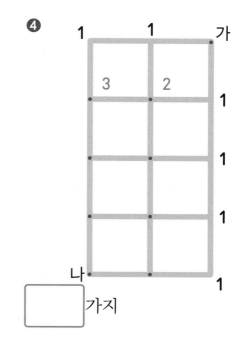

❺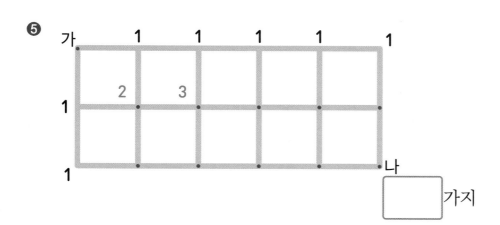

최단 경로의 가짓수 (2)

✏️ **가**에서 **나**까지 가는 가장 짧은 길을 구하려고 합니다. 길이 모이는 곳에 길의 수를 써넣고, 가장 짧은 길의 수를 구하세요.

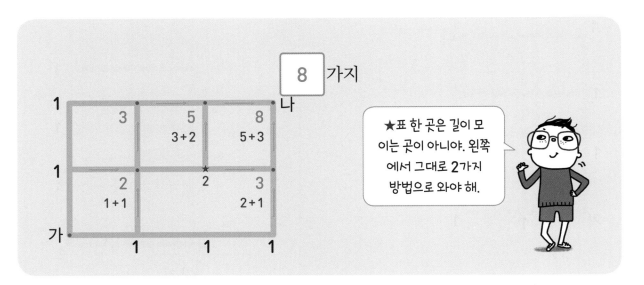

★표 한 곳은 길이 모이는 곳이 아니야. 왼쪽에서 그대로 2가지 방법으로 와야 해.

❶

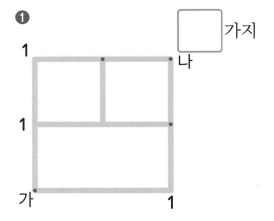

❷

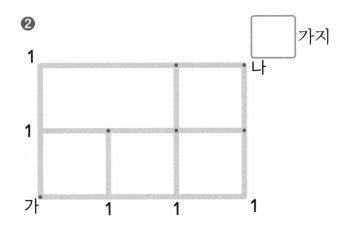

❸

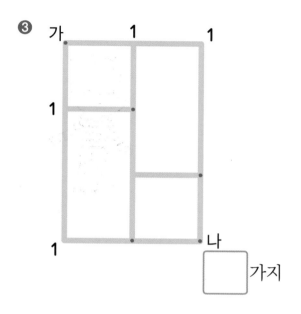

❹

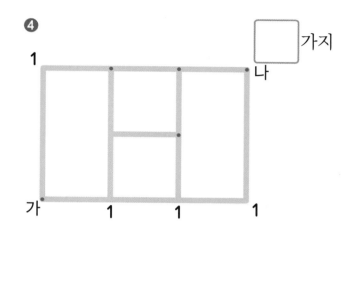

❺

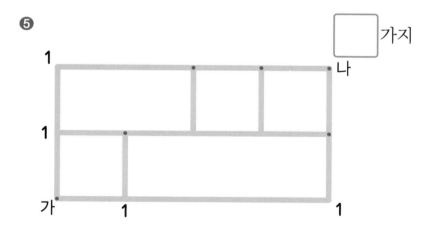

들렀다 가기 (1)

✏️ **가**에서 **나**를 지나 **다**까지 가는 가장 짧은 길의 수를 구하세요.

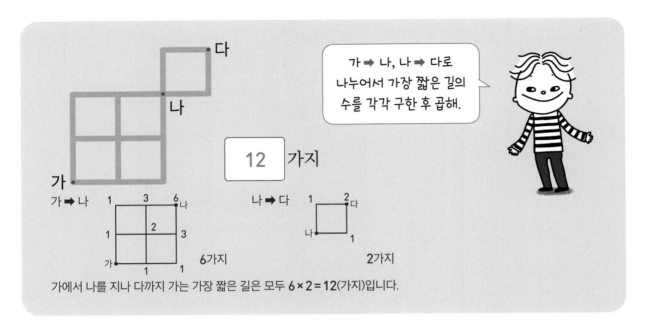

가에서 나를 지나 다까지 가는 가장 짧은 길은 모두 6 × 2 = 12(가지)입니다.

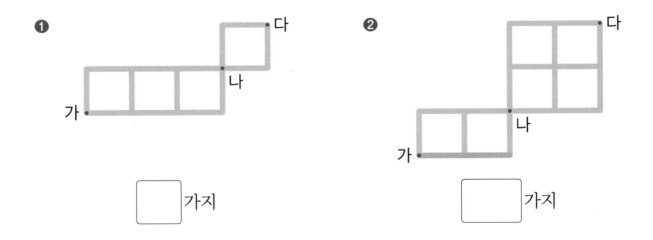

❶ 　　　　　　　　　　　　❷

　　　 가지　　　　　　　　　　　 가지

❸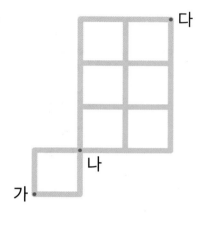

다

나

가

▢ 가지

❹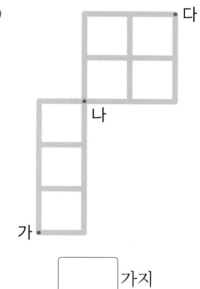

다

나

가

▢ 가지

❺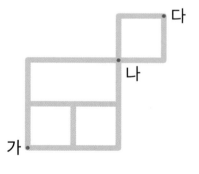

다

나

가

▢ 가지

❻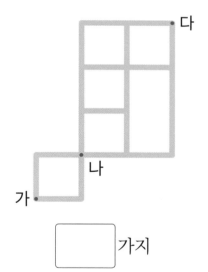

다

나

가

▢ 가지

들렀다 가기 (2)

✏️ **가**에서 **나**를 지나 **다**까지 가는 가장 짧은 길의 수를 구하세요.

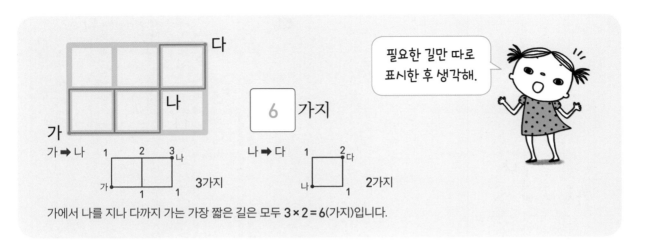

가에서 나를 지나 다까지 가는 가장 짧은 길은 모두 **3 × 2 = 6**(가지)입니다.

❶

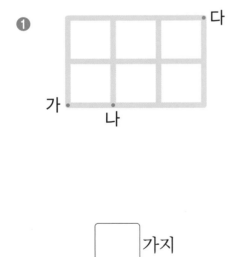

□ 가지

❷

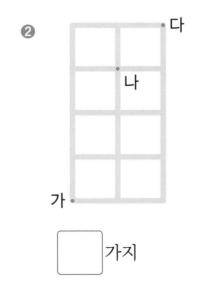

□ 가지

❸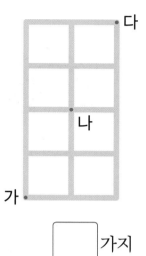

다

나

가

☐ 가지

❹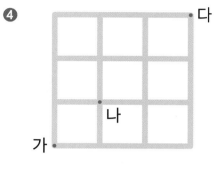

다

나

가

☐ 가지

❺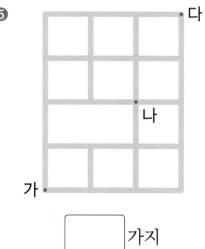

다

나

가

☐ 가지

❻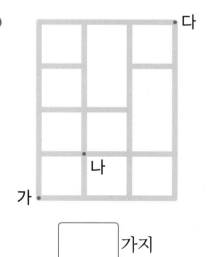

다

나

가

☐ 가지

지름길 경로

✏️ **가**에서 **나**까지 가는 가장 짧은 길의 수를 구하세요.

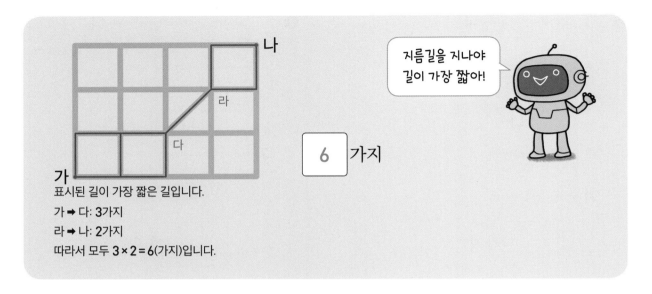

지름길을 지나야 길이 가장 짧아!

6 가지

표시된 길이 가장 짧은 길입니다.

가 ➡ 다: **3**가지

라 ➡ 나: **2**가지

따라서 모두 **3 × 2 = 6**(가지)입니다.

❶
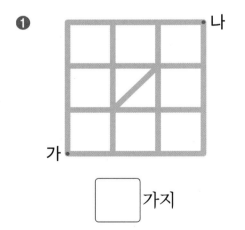

☐ 가지

❷
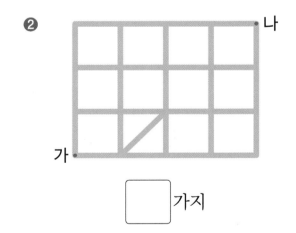

☐ 가지

❸

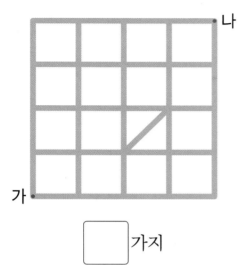

□ 가지

❹

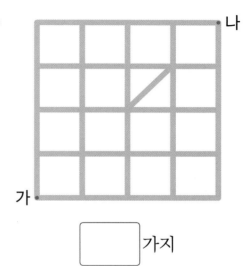

□ 가지

❺

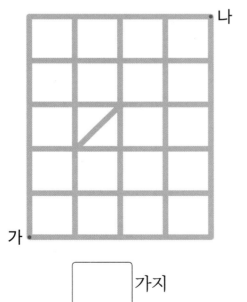

□ 가지

❻

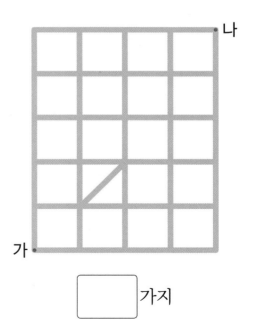

□ 가지

✏️ **가**에서 **나**를 지나 **다**까지 가는 가장 짧은 길의 수를 구하세요.

❶
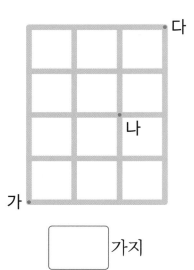

☐ 가지

❷
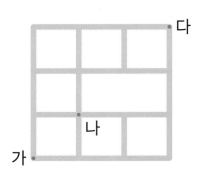

☐ 가지

✏️ **가**에서 **나**까지 가는 가장 짧은 길의 수를 구하세요.

❸
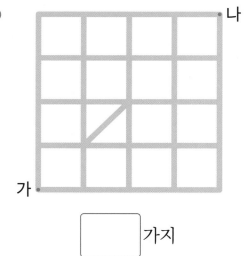

☐ 가지

❹
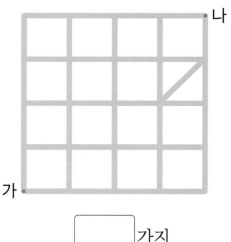

☐ 가지

금액 만들기

DAY 1 얼마입니까? ·········· 30

DAY 2 만들 수 있는 금액 (1) ·········· 32

DAY 3 만들 수 있는 금액 (2) ·········· 34

DAY 4 금액 만들기 ·········· 36

DAY 5 금액의 가짓수 ·········· 38

확인학습 ·········· 40

3 주차

얼마입니까?

✏️ 주어진 동전의 금액을 구하세요.

| 10원 | 50원 | 100원 | 500원 |

우리나라의 동전은 왼쪽의 **4**가지 종류가 주로 사용돼.

❶

⬜ 원

❷

⬜ 원

❸

⬜ 원

❹

⬜ 원

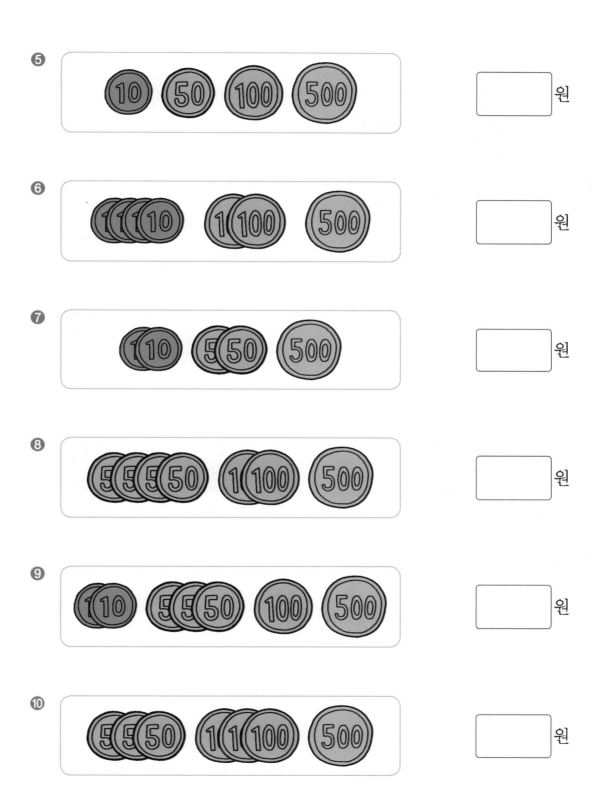

❺ ⬜ 원

❻ ⬜ 원

❼ ⬜ 원

❽ ⬜ 원

❾ ⬜ 원

❿ ⬜ 원

만들 수 있는 금액 (1)

✏ 주어진 동전 중에서 **3개**를 사용하여 만들 수 있는 금액에 모두 ◯표 하세요.

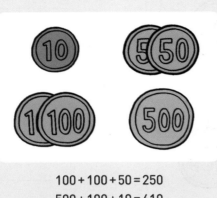

120원	250원
610원	800원

100 + 100 + 50 = 250
500 + 100 + 10 = 610

동전 **3개**를 사용해서 만들 수 있는 금액 중 큰 금액부터 생각해 봐.

❶

160원	520원
560원	700원

❷

150원	200원
300원	700원

❸

200원	300원
520원	700원

❹

150원	200원
210원	610원

❺

70원	160원
260원	800원

❻

110원	300원
530원	600원

만들 수 있는 금액 (2)

✏️ 주어진 동전 중에서 **3개**를 사용하여 만들 수 있는 금액을 모두 쓰세요.

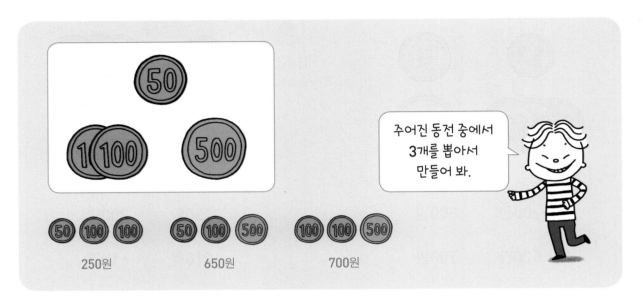

주어진 동전 중에서 **3개**를 뽑아서 만들어 봐.

50 100 100	50 100 500	100 100 500
250원	650원	700원

❶

금액(원) _____

❷

금액(원) _____

❸

금액(원) _____

❹

금액(원) _____

❺

금액(원) _____

❻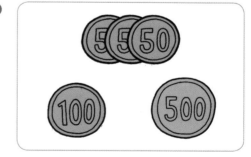

금액(원) _____

✏ 50원, 100원, 500원짜리 동전이 여러 개 있습니다. 주어진 금액을 만드는 방법을 나타낸 표를 완성하세요.

200원

100원짜리 1개를 50원짜리 2개로 바꿔 가면서 표를 완성해.

	동전 개수	
	100원	50원
①	2	
②	1	2
③		4

❶ **300원**

	동전 개수	
	100원	50원
①		
②		
③		
④		

❷ **350원**

	동전 개수	
	100원	50원
①		
②		
③		
④		

❸ 400원

	동전 개수	
	100원	50원
①		
②		
③		
④		
⑤		

❹ 450원

	동전 개수	
	100원	50원
①		
②		
③		
④		
⑤		

❺ 500원

	동전 개수		
	500원	100원	50원
①			
②			
③			
④			
⑤			
⑥			
⑦			

❻ 550원

	동전 개수		
	500원	100원	50원
①			
②			
③			
④			
⑤			
⑥			
⑦			

✏️ 주어진 동전으로 금액을 만드는 방법을 나타낸 표를 완성하고, 만들 수 있는 금액의 가
짓수를 구하세요.

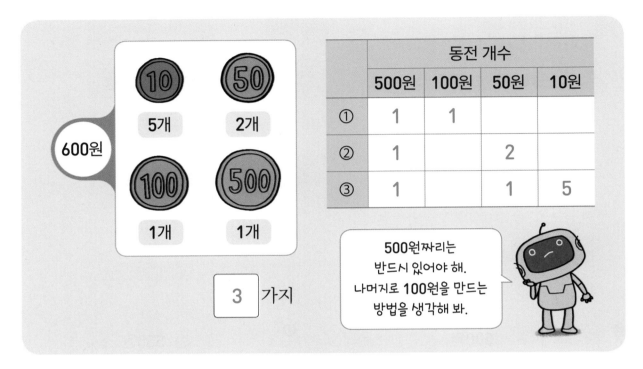

600원

	동전 개수			
	500원	100원	50원	10원
①	1	1		
②	1		2	
③	1		1	5

3 가지

500원짜리는
반드시 있어야 해.
나머지로 100원을 만드는
방법을 생각해 봐.

❶

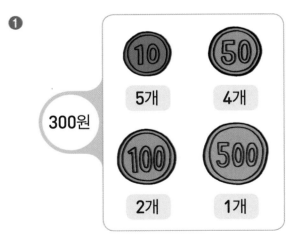

300원

	동전 개수			
	500원	100원	50원	10원
①				
②				
③				
④				

가지

❷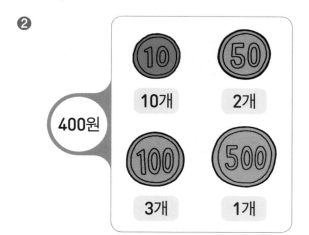

	동전 개수			
	500원	100원	50원	10원
①				
②				
③				
④				

☐ 가지

❸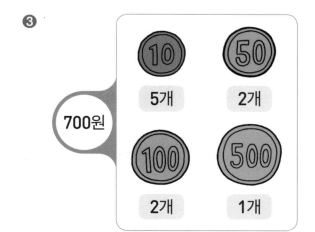

	동전 개수			
	500원	100원	50원	10원
①				
②				
③				

☐ 가지

✏️ 주어진 동전 중에서 **3개**를 사용하여 만들 수 있는 금액에 모두 ◯표 하세요.

❶

560원	120원
700원	750원

❷

670원	520원
160원	70원

✏️ 주어진 동전으로 금액을 만드는 방법을 나타낸 표를 완성하고, 만들 수 있는 금액의 가짓수를 구하세요.

❸

550원

10 10개
50 1개
100 5개
500 1개

	동전 개수			
	500원	100원	50원	10원
①				
②				
③				
④				
⑤				

☐ 가지

가짓수의 곱

DAY **1** 동전과 주사위 42

DAY **2** 줄 세우기 44

DAY **3** 조건에 맞게 줄 세우기 46

DAY **4** 수 만들기 48

DAY **5** 조건에 맞게 수 만들기 50

확인학습 52

동전과 주사위

✏️ 주어진 것을 동시에 던졌을 때 나올 수 있는 경우의 수를 구하세요.

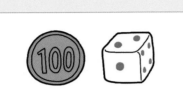

2 × 6 = 12 가지

각각 던졌을 때 나올 수 있는
경우의 수는 동전은 2가지,
주사위는 6가지야.

[방법 1] 나뭇가지 그림으로 나타내기

그림면 ⟨ 1 2 3 4 5 6 　　　숫자면 ⟨ 1 2 3 4 5 6

따라서 모두 12가지입니다.

[방법 2] 곱을 이용하기
동전과 주사위를 동시에 던졌을 때 나올 수
있는 경우의 수는 2 × 6 = 12(가지)입니다.

❶

□ × □ = □ 가지

❷
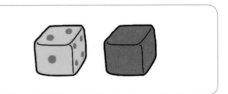

□ × □ = □ 가지

❸

$$\boxed{} \times \boxed{} \times \boxed{} = \boxed{} \text{가지}$$

❹

$$\boxed{} \times \boxed{} \times \boxed{} = \boxed{} \text{가지}$$

❺

$$\boxed{} \times \boxed{} \times \boxed{} \times \boxed{} = \boxed{} \text{가지}$$

❻

$$\boxed{} \times \boxed{} \times \boxed{} \times \boxed{} = \boxed{} \text{가지}$$

줄 세우기

✏️ 한 줄로 세우는 방법은 모두 몇 가지인지 구하세요.

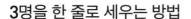
3명을 한 줄로 세우는 방법

우진   선아   지훈

| 3 | × | 2 | × | 1 | = | 6 | 가지 |

[방법 1] 나뭇가지 그림으로 나타내기

첫 번째   두 번째   세 번째

우진 ⟨ 선아 —— 지훈
      지훈 —— 선아

선아 ⟨ 우진 —— 지훈
      지훈 —— 우진

지훈 ⟨ 선아 —— 우진
      우진 —— 선아

따라서 모두 6가지입니다.

[방법 2] 곱을 이용하기

한 줄로 세우는 방법은 모두 3 × 2 × 1 = 6(가지)입니다.

첫 번째에는 **3명**을 세울 수 있고,
두 번째에는 남은 **2명**을, 세 번째에는
남은 **1명**을 세우면 되니까⋯⋯.

❶ **2명을 한 줄로 세우는 방법**

| | × | | = | | 가지 |

❷
4명을 한 줄로 세우는 방법

□ × □ × □ × □ =

□ 가지

❸
3개를 한 줄로 세우는 방법

□ × □ × □ = □ 가지

❹
5개를 한 줄로 세우는 방법

□ × □ × □ × □ × □ = □ 가지

✏️ 조건에 맞게 한 줄로 세우는 방법은 모두 몇 가지인지 구하세요.

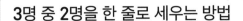

3명 중 2명을 한 줄로 세우는 방법

우진   선아   지훈

6 가지

[방법 1] 나뭇가지 그림으로 나타내기

첫 번째   두 번째

우진 ⟨ 선아
     지훈

선아 ⟨ 우진
     지훈

지훈 ⟨ 선아
     우진

따라서 모두 6가지입니다.
남은 사람은 생각하지 않아도 됩니다.

[방법 2] 곱을 이용하기
한 줄로 세우는 방법은 모두 $3 \times 2 = 6$(가지)입니다.

첫 번째에는 3명을 세울 수 있고,
두 번째에는 첫 번째 세운 사람을
뺀 2명을 세울 수 있어.

❶ **4명 중 2명을 한 줄로 세우는 방법**

☐ 가지

❷ 5명 중 2명을 한 줄로 세우는 방법

| | 가지

❸ 4명 중 3명을 한 줄로 세우는 방법

| | 가지

❹ 3개 중 2개를 한 줄로 세우는 방법

| | 가지

❺ 4개 중 2개를 한 줄로 세우는 방법

| | 가지

수 만들기

✎ 주어진 숫자 카드를 사용하여 만들 수 있는 조건에 맞는 수의 개수를 구하세요.

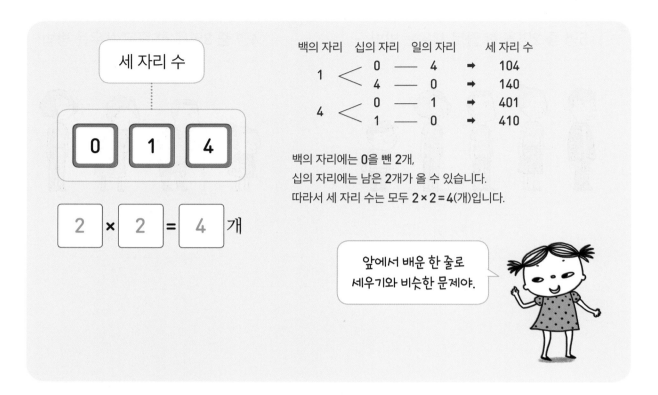

세 자리 수

| 0 | 1 | 4 |

백의 자리	십의 자리	일의 자리		세 자리 수
1 <	0 — 4		➡	104
	4 — 0		➡	140
4 <	0 — 1		➡	401
	1 — 0		➡	410

백의 자리에는 0을 뺀 2개,
십의 자리에는 남은 2개가 올 수 있습니다.
따라서 세 자리 수는 모두 2 × 2 = 4(개)입니다.

$2 \times 2 = 4$ 개

앞에서 배운 한 줄로
세우기와 비슷한 문제야.

❶ 두 자리 수

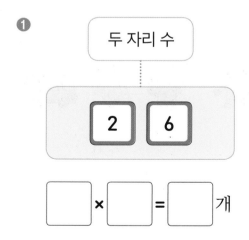

| 2 | 6 |

$\square \times \square = \square$ 개

❷ 두 자리 수

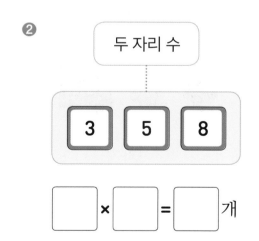

| 3 | 5 | 8 |

$\square \times \square = \square$ 개

❸
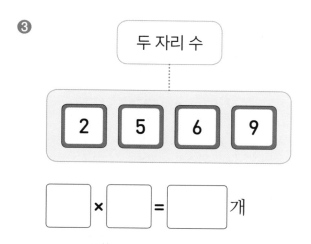

두 자리 수

| 2 | 5 | 6 | 9 |

□ × □ = □ 개

❹
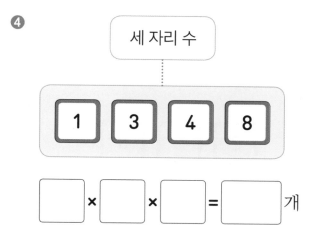

세 자리 수

| 1 | 3 | 4 | 8 |

□ × □ × □ = □ 개

❺
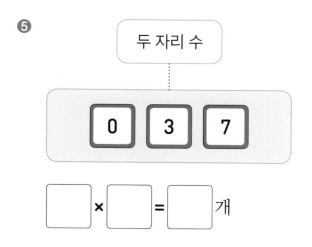

두 자리 수

| 0 | 3 | 7 |

□ × □ = □ 개

❻
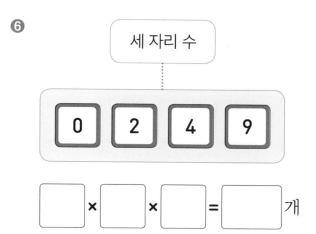

세 자리 수

| 0 | 2 | 4 | 9 |

□ × □ × □ = □ 개

조건에 맞게 수 만들기

✏️ 주어진 숫자 카드를 사용하여 만들 수 있는 조건에 맞는 수의 개수를 구하세요.

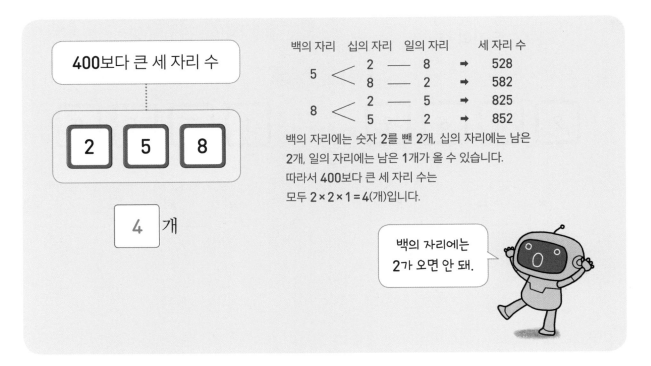

400보다 큰 세 자리 수

| 2 | 5 | 8 |

4 개

백의 자리	십의 자리	일의 자리		세 자리 수
5 <	2 — 8		➡	528
	8 — 2		➡	582
8 <	2 — 5		➡	825
	5 — 2		➡	852

백의 자리에는 숫자 2를 뺀 2개, 십의 자리에는 남은 2개, 일의 자리에는 남은 1개가 올 수 있습니다.
따라서 400보다 큰 세 자리 수는
모두 2 × 2 × 1 = 4(개)입니다.

백의 자리에는
2가 오면 안 돼.

❶ 700보다 큰 세 자리 수

| 1 | 3 | 9 |

개

❷ 50보다 작은 두 자리 수

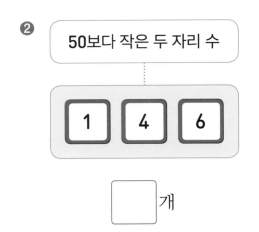

| 1 | 4 | 6 |

개

❸

30보다 큰 두 자리 수

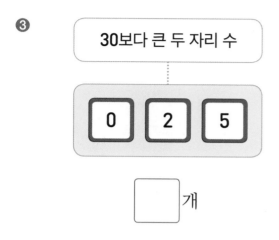

☐ 개

❹

400보다 작은 세 자리 수

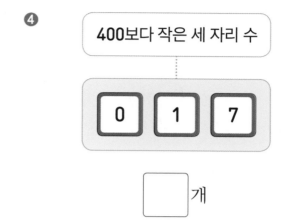

☐ 개

❺

600보다 큰 세 자리 수

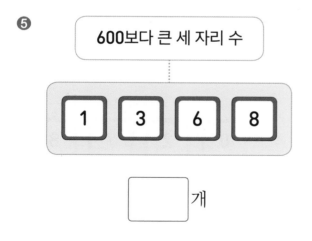

☐ 개

❻

500보다 작은 세 자리 수

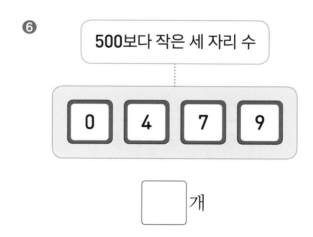

☐ 개

✏️ 쌓기나무를 한 줄로 쌓는 방법은 모두 몇 가지인지 구하세요.

❶ 3개를 쌓는 방법

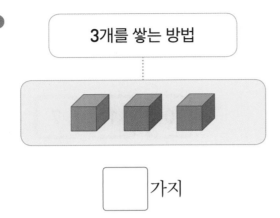

☐ 가지

❷ 4개를 쌓는 방법

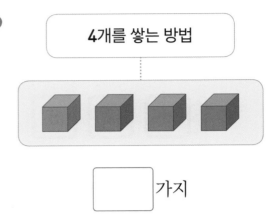

☐ 가지

✏️ 주어진 숫자 카드를 사용하여 만들 수 있는 조건에 맞는 수의 개수를 구하세요.

❸ 40보다 작은 두 자리 수

☐ 개

❹ 600보다 작은 세 자리 수

| 0 | 2 | 7 | 8 |

☐ 개

마무리 평가

마무리 평가는 앞에서 공부한 4주차의 유형이 다음과 같은 순서로 나와요.
틀린 문제는 몇 주차인지 확인하여 반드시 다시 한 번 학습하도록 해요.

1주차	**3**주차
2주차	**4**주차

❖ 집에서 공원까지 자전거 또는 버스를 타고 갈 수 있습니다. 공원까지 가는 방법은 모두 몇 가지인지 알아보세요.

❶

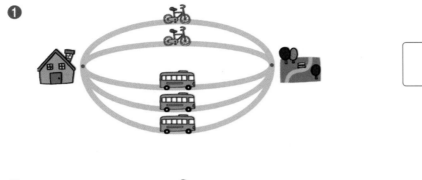

$\boxed{} + \boxed{} = \boxed{}$ 가지

❷

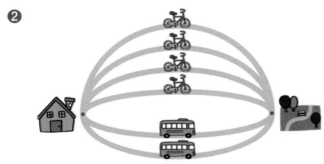

$\boxed{} + \boxed{} = \boxed{}$ 가지

❖ **가**에서 **나**를 지나 **다**까지 가는 가장 짧은 길의 수를 구하세요.

❸

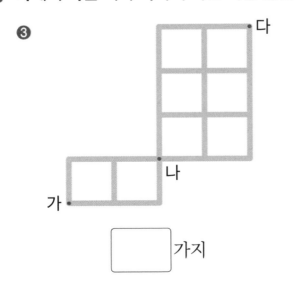

$\boxed{}$ 가지

❹

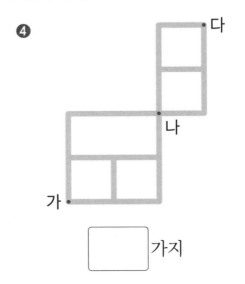

$\boxed{}$ 가지

❖ 주어진 동전 중에서 **3개**를 사용하여 만들 수 있는 금액의 가짓수를 구하세요.

❺

□ 가지

❻

□ 가지

❖ 주어진 것을 동시에 던졌을 때 나올 수 있는 경우의 수를 구하세요.

❼

□ 가지

❽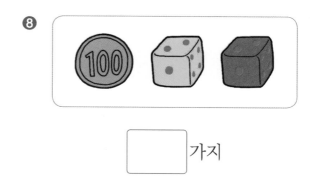

□ 가지

✿ 집에서 문구점을 지나 학교까지 가는 방법은 모두 몇 가지인지 알아보세요. 한 번 지난 곳은 다시 지나지 않습니다.

❶ 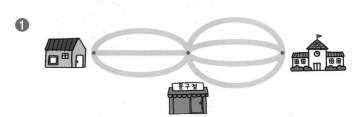   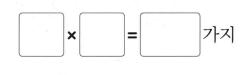 □ × □ = □ 가지

❷ 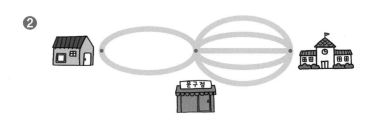   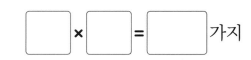 □ × □ = □ 가지

✿ **가**에서 **나**까지 가는 가장 짧은 길의 수를 구하세요.

❸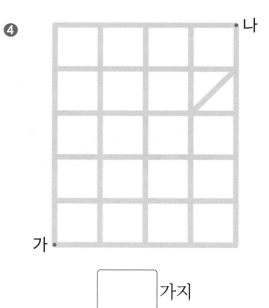

□ 가지

❹

□ 가지

❖ 주어진 금액을 만드는 방법을 나타낸 표를 완성하고, 만들 수 있는 금액의 가짓수를 구하세요.

❺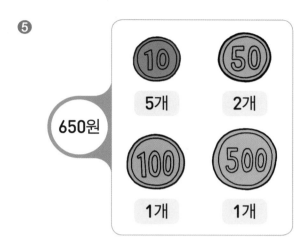

	동전 개수			
	500원	100원	50원	10원
①				
②				
③				

[ ] 가지

❖ 주어진 숫자 카드를 사용하여 만들 수 있는 조건에 맞는 수의 개수를 구하세요.

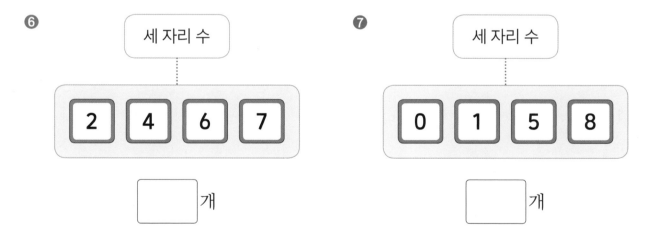

❻ 세 자리 수

| 2 | 4 | 6 | 7 |

[ ] 개

❼ 세 자리 수

| 0 | 1 | 5 | 8 |

[ ] 개

♣ **가**에서 **나**까지 가는 길을 모두 그려 보고, 모두 몇 가지인지 구하세요. 한 번 지난 곳은 다시 지나지 않습니다.

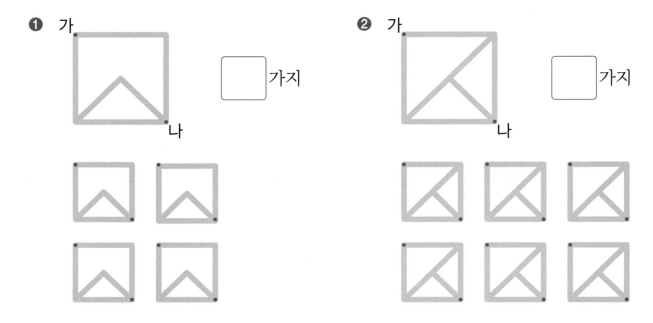

♣ **가**에서 **나**까지 가는 가장 짧은 길을 구하려고 합니다. 길이 모이는 곳에 길의 수를 써넣고, 가장 짧은 길의 수를 구하세요.

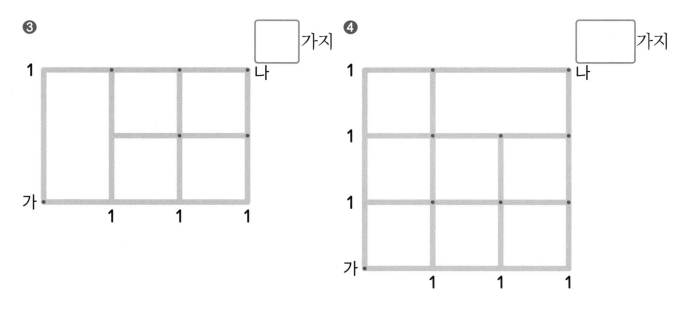

✿ 주어진 금액을 만드는 방법을 나타낸 표를 완성하고, 만들 수 있는 금액의 가짓수를 구하세요.

❺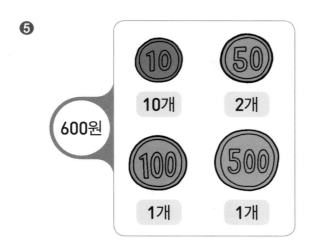

	동전 개수			
	500원	100원	50원	10원
①				
②				
③				
④				

▢ 가지

✿ 조건에 맞게 쌓기나무를 한 줄로 쌓는 방법은 모두 몇 가지인지 구하세요.

❻ 4개 중 2개를 뽑아 쌓는 방법

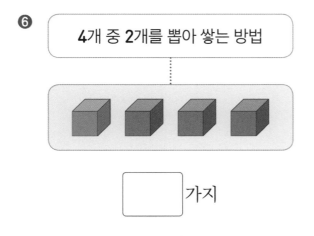

▢ 가지

❼ 4개 중 3개를 뽑아 쌓는 방법

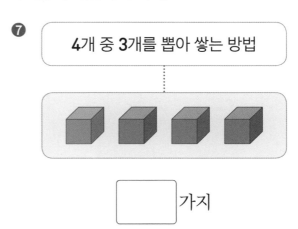

▢ 가지

✦ 집에서 은행까지 가는 방법은 모두 몇 가지인지 구하세요. 한 번 지난 곳은 다시 지나지 않습니다.

❶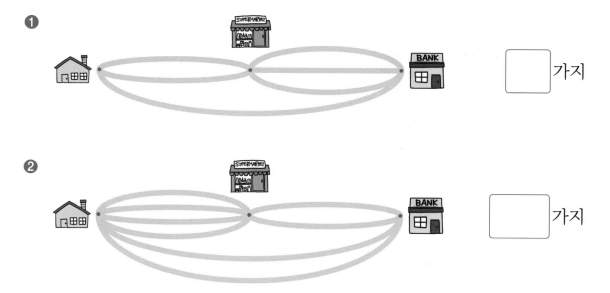

가지

❷

가지

✦ **가**에서 **나**를 지나 **다**까지 가는 가장 짧은 길의 수를 구하세요.

❸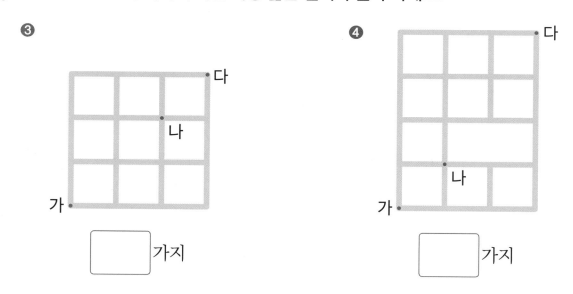

가지

❹

가지

🍀 주어진 동전 중에서 **3개**를 사용하여 만들 수 있는 금액에 모두 ◯표 하세요.

❺

110원	200원
560원	660원

❻

120원	210원
520원	700원

🍀 주어진 숫자 카드를 사용하여 만들 수 있는 조건에 맞는 수의 개수를 구하세요.

❼
600보다 큰 세 자리 수

5   7   9

☐ 개

❽
500보다 작은 세 자리 수

0   4   8

☐ 개

✿ **가**에서 **나**까지 가는 길을 모두 그려 보고, 모두 몇 가지인지 구하세요. 한 번 지난 곳은 다시 지나지 않습니다.

❶
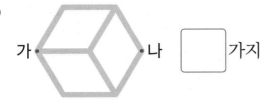
가 • 나 [　] 가지

❷
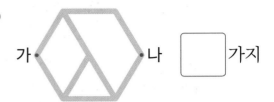
가 • 나 [　] 가지

✿ **가**에서 **나**까지 가는 가장 짧은 길의 수를 구하세요.

❸
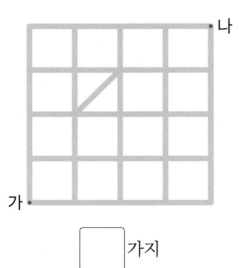
[　] 가지

❹
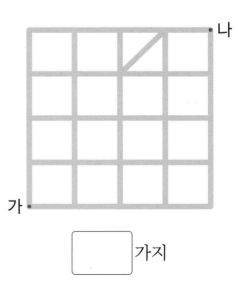
[　] 가지

◆ 주어진 동전의 금액을 구하세요.

❺

□ 원

❻

□ 원

❼

□ 원

◆ 글자를 순서대로 쓰는 방법은 모두 몇 가지인지 구하세요.

❽ 세 글자를 순서대로 쓰는 방법

| 가 | 나 | 다 |

□ 가지

❾ 네 글자를 순서대로 쓰는 방법

| 가 | 나 | 다 | 라 |

□ 가지

pensées

'사고력수학의 시작'

팡세

pensées

B4

정답과 풀이

사고가 자라는 수학
씨투엠

네이버 공식 지원 카페 필즈엠　　　　　　　씨투엠에듀 공식 인스타그램

'사고력수학의 시작'

과정

pensées

B4

정답과 풀이

1주차 | 길의 가짓수

DAY 1

더하는 길의 가짓수

✏️ 집에서 공원까지 자전거 또는 버스를 타고 갈 수 있습니다. 공원까지 가는 방법은 모두 몇 가지인지 알아보세요.

공원
집

1 + 2 = 3 가지

자전거로 갈 수 있고, 버스로 갈 수도 있어. 길의 방법을 더해서 구하는 거야.

자전거로 가는 방법이 1가지, 버스로 가는 방법이 2가지이므로 모두 1+2=3가지입니다.

①  1 + 3 = 4 가지

②  2 + 2 = 4 가지

③ 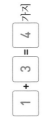 3 + 2 = 5 가지

④ 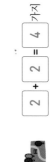 2 + 4 = 6 가지

⑤  1 + 5 = 6 가지

⑥  3 + 4 = 7 가지

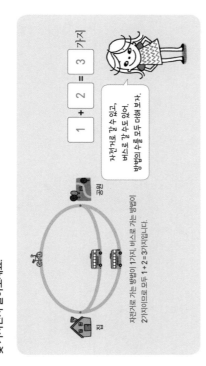

평제 B4.가운딩

③   3 × 3 = 9 가지

④   2 × 4 = 8 가지

⑤   5 × 2 = 10 가지

⑥   4 × 3 = 12 가지

DAY 2

곱하는 길의 가짓수

✏️ 집에서 문구점을 지나 학교까지 가는 방법은 모두 몇 가지인지 알아보세요. 한 번 지난 곳은 다시 지나지 않습니다.

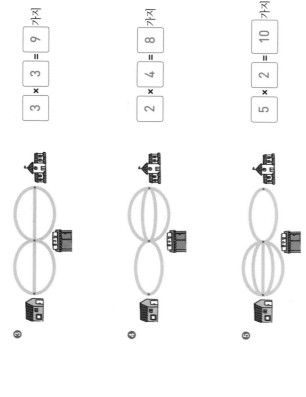

2 × 3 = 6 가지

학교

문구점

집

집에서 문구점까지 가는 방법이 2가지, 문구점에서 학교로 가는 방법이 3가지이므로 모두 2×3=6가지입니다.

집에서 문구점을 지나서 학교까지 가는 방법의 수는 곱을 이용해서 구할 수 있어.

직접 길을 모두 그려서 확인해 봅니다.

①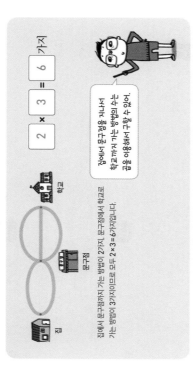

1 × 4 = 4 가지

②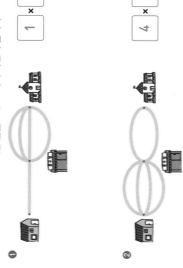

4 × 2 = 8 가지

길의 가짓수

DAY 3

길의 가짓수

✏️ 집에서 은행까지 가는 방법은 모두 몇 가지인지 구하세요. 한 번 지난 곳은 다시 지나지 않습니다.

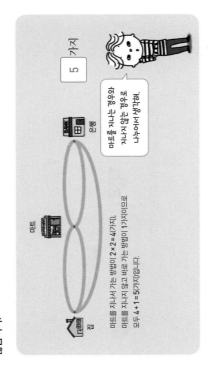

5 가지

마트를 지나서 가는 방법이 2×2=4(가지),
마트를 지나지 않고 바로 가는 방법이 1가지이므로
모두 4+1=5(가지)입니다.

마트를 지나는 경우와 지나지 않는 경우로 나누어서 생각해요.

❶

7 가지

마트를 지나서 가는 방법이 3×2=6(가지), 마트를 지나지 않고 바로 가는 방법이
1가지이므로 모두 6+1=7(가지)입니다.

❷

6 가지

마트를 지나서 가는 방법이 2×2=4(가지), 마트를 지나지 않고 바로 가는 방법이
2가지이므로 모두 4+2=6(가지)입니다.

❸

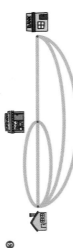

5 가지

마트를 지나서 가는 방법이 3×1=3(가지), 마트를 지나지 않고 바로 가는 방법이
2가지이므로 모두 3+2=5(가지)입니다.

❹

8 가지

마트를 지나서 가는 방법이 2×3=6(가지), 마트를 지나지 않고 바로 가는 방법이
2가지이므로 모두 6+2=8(가지)입니다.

❺

9 가지

마트를 지나서 가는 방법이 2×4=8(가지), 마트를 지나지 않고 바로 가는 방법이
1가지이므로 모두 8+1=9(가지)입니다.

❻

11 가지

마트를 지나서 가는 방법이 3×3=9(가지), 마트를 지나지 않고 바로 가는 방법이
2가지이므로 모두 9+2=11(가지)입니다.

DAY 4

사각형 모양의 길

가에서 나까지 가는 길을 모두 그려 보고, 모두 몇 가지인지 구하세요. 한 번 지난 곳은 다시 지나지 않습니다.

선이나 점을 두 번 지나지 않도록 주의해.

4 가지

❶ 가 나

2 가지

❷ 가 나

3 가지

❸ 가 나

3 가지

❹ 가 나

5 가지

❺ 가 나

9 가지

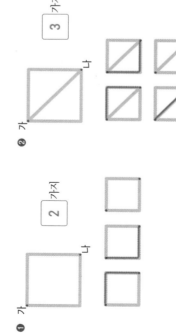

1주차

길의 가짓수

DAY 5

육각형 모양의 길

✏️ **가**에서 **나**까지 가는 길을 모두 그려 보고, 모두 몇 가지인지 구하세요. 한 번 지난 곳은 다시 지나지 않습니다.

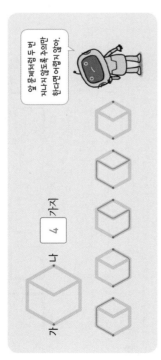

나 4 가지

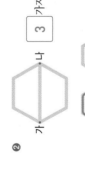

앞 문제처럼 두 번 지나지 않도록 주의만 한다면 어렵지 않아.

① 가
   나 2 가지

② 가
   나 3 가지

③ 가
   나 3 가지

④ 가
   나 4 가지

⑤ 가
   나 7 가지

pensées

✎ 집에서 은행까지 가는 방법은 모두 몇 가지인지 구하세요. 한 번 지난 곳은 다시 지나지 않습니다.

①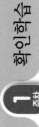

8 가지

마트를 지나서 가는 방법이 $3 \times 2 = 6$(가지), 마트를 지나지 않고 바로 가는 방법이 2가지이므로 모두 $6 + 2 = 8$(가지)입니다.

②

13 가지

마트를 지나서 가는 방법이 $4 \times 3 = 12$(가지), 마트를 지나지 않고 바로 가는 방법이 1가지이므로 모두 $12 + 1 = 13$(가지)입니다.

✎ 가에서 나까지 가는 길을 모두 그려 보고, 모두 몇 가지인지 구하세요. 한 번 지난 곳은 다시 지나지 않습니다.

③

3 가지

④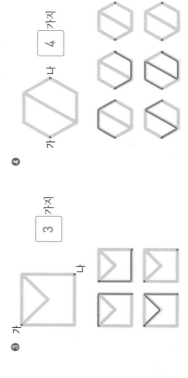

4 가지

DAY 1

최단 경로의 가짓수 (1)

✏️ 가에서 나까지 가는 가장 짧은 길을 구하려고 합니다. 길이 모이는 곳에 길의 수를 써넣고, 가장 짧은 길의 수를 구하세요.

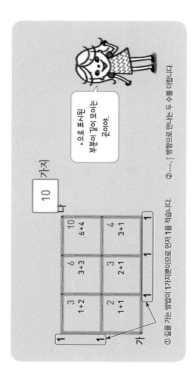

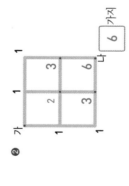

• 으로 표시된 부분이 길이 모이는 곳이야.

① 길을 가는 방법이 1가지뿐이므로 먼저 1을 적습니다.
② →, ↑ 방향으로 만나는 두 수를 더합니다.

❶ 6 가지

❷ 6 가지

❸ 10 가지

❹ 15 가지

❺ 21 가지

pensées

DAY 2

최단 경로의 가짓수 (2)

✎ 가에서 나까지 가는 가장 짧은 길을 구하려고 합니다. 길이 모이는 곳에 길이 수를 써넣고, 가장 짧은 길의 수를 구하세요.

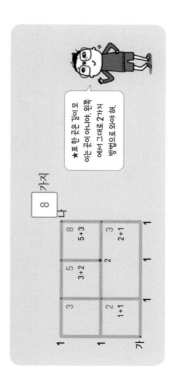

★표 한 곳은 길이 모이는 곳이 아니야. 왼쪽에서 그대로 오른쪽 방향으로 와야 해.

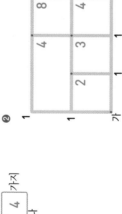

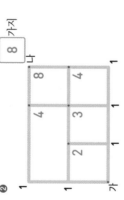

DAY 3

들렀다 가기 (1)

pensées

✏️ 가에서 나를 지나 다까지 가는 가장 짧은 길의 수를 구하세요.

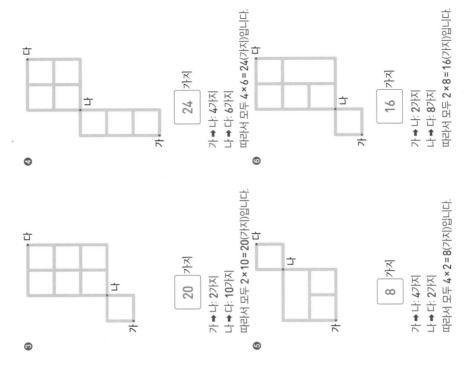

가 ➡ 나, 나 ➡ 다로 나누어서 가장 짧은 길의 수를 각각 구한 후 곱해.

12 가지

가에서 나를 지나 다까지 가는 가장 짧은 길은 모두 6×2=12(가지)입니다.

①

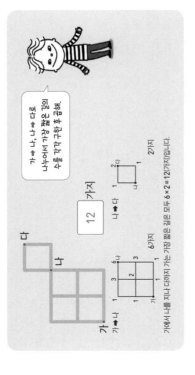

8 가지

가 ➡ 나: 4가지
나 ➡ 다: 2가지
따라서 모두 4×2=8(가지)입니다.

②

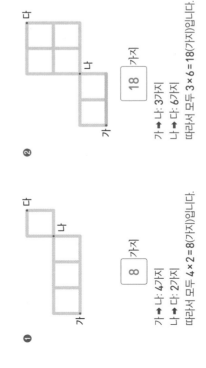

18 가지

가 ➡ 나: 3가지
나 ➡ 다: 6가지
따라서 모두 3×6=18(가지)입니다.

③

20 가지

가 ➡ 나: 2가지
나 ➡ 다: 10가지
따라서 모두 2×10=20(가지)입니다.

④

24 가지

가 ➡ 나: 4가지
나 ➡ 다: 6가지
따라서 모두 4×6=24(가지)입니다.

⑤

8 가지

가 ➡ 나: 4가지
나 ➡ 다: 2가지
따라서 모두 4×2=8(가지)입니다.

⑥

16 가지

가 ➡ 나: 2가지
나 ➡ 다: 8가지
따라서 모두 2×8=16(가지)입니다.

DAY 4

들렀다 가기 (2)

◆ 가에서 나를 지나 다까지 가는 가장 짧은 길의 수를 구하세요.

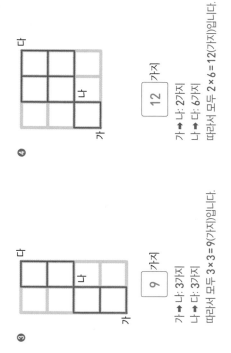

필요한 길만 따로 표시한 후 넣나봐.

6 가지

3가지 2가지

가→나 나→다

가에서 나를 지나 다까지 가는 가장 짧은 길은 모두 3×2=6(가지)입니다.

❶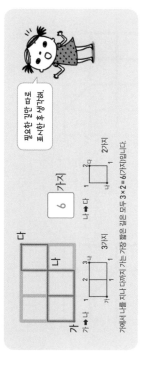

6 가지

가→나: 1가지
나→다: 6가지
따라서 모두 1×6=6(가지)입니다.

❷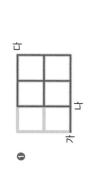

8 가지

가→나: 4가지
나→다: 2가지
따라서 모두 4×2=8(가지)입니다.

❸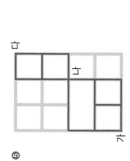

9 가지

가→나: 3가지
나→다: 3가지
따라서 모두 3×3=9(가지)입니다.

❹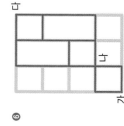

12 가지

가→나: 2가지
나→다: 6가지
따라서 모두 2×6=12(가지)입니다.

❺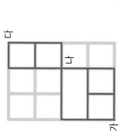

12 가지

가→나: 4가지
나→다: 3가지
따라서 모두 4×3=12(가지)입니다.

❻

12 가지

가→나: 2가지
나→다: 6가지
따라서 모두 2×6=12(가지)입니다.

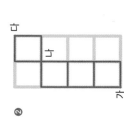

DAY 5

지름길 경로

◆ 가에서 나까지 가는 가장 짧은 길의 수를 구하세요.

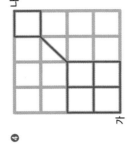

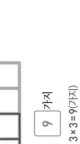

지름길을 지나야 길이가 가장 짧아!

가 → 다: 3가지
다 → 나: 2가지
따라서 모두 3 × 2 = 6(가지)입니다.

표시된 길이 가장 짧은 길입니다.

6 가지

❶
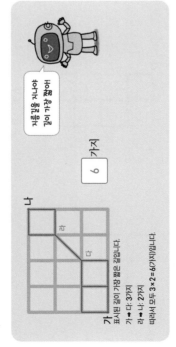

4 가지

2 × 2 = 4(가지)

❷
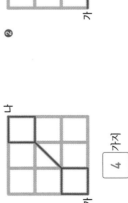

6 가지

1 × 6 = 6(가지)

pensées

❸
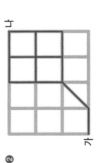

9 가지

3 × 3 = 9(가지)

❹
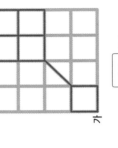

12 가지

6 × 2 = 12(가지)

❺
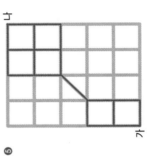

18 가지

3 × 6 = 18(가지)

❻
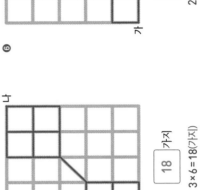

20 가지

2 × 10 = 20(가지)

확인학습

2주차

◈ 가에서 나를 지나 다까지 가는 가장 짧은 길의 수를 구하세요.

❶

18 가지

가 → 나: 6가지
나 → 다: 3가지
따라서 모두 6 × 3 = 18(가지)입니다.

❷

8 가지

가 → 나: 2가지
나 → 다: 4가지
따라서 모두 2 × 4 = 8(가지)입니다.

◈ 가에서 나까지 가는 가장 짧은 길의 수를 구하세요.

❸

12 가지

2 × 6 = 12(가지)

❹

10 가지

10 × 1 = 10(가지)

금액 만들기

얼마입니까?

✏️ 주어진 동전의 금액을 구하세요.

10원	50원	100원	500원
🪙10	🪙50	🪙100	🪙500

우리나라의 동전은 만원의 4가지 종류가 주로 사용돼.

❶ [160] 원

❷ [280] 원

❸ [210] 원

❹ [350] 원

pensées

❺ [660] 원

❻ [740] 원

❼ [620] 원

❽ [900] 원

❾ [770] 원

❿ [950] 원

DAY 2

만들 수 있는 금액 (1)

✏️ 주어진 동전 중에서 3개를 사용하여 만들 수 있는 금액에 모두 ◯표 하세요.

120원	250원
610원	800원

100 + 100 + 50 = 250
500 + 100 + 10 = 610

동전 3개를 사용해서 만들 수 있는 금액에 모두 ◯표 해야요.

①

160원	520원
560원	700원

100 + 50 + 10 = 160
500 + 50 + 10 = 560

②

150원	200원
300원	700원

100 + 50 + 50 = 200

---

③

200원	300원
520원	700원

100 + 100 + 100 = 300
500 + 100 + 100 = 700

④

150원	200원
210원	610원

50 + 50 + 50 = 150
100 + 50 + 50 = 200
500 + 100 + 10 = 610

⑤

70원	160원
260원	800원

50 + 10 + 10 = 70
100 + 50 + 10 = 160

⑥

110원	300원
530원	600원

50 + 50 + 10 = 110
500 + 50 + 50 = 600

…pensées

DAY 3

만들 수 있는 금액 (2)

주어진 동전을 3개를 사용하여 만들 수 있는 금액을 모두 쓰세요.

주어진 동전 중에서 3개를 뽑아서 만들어 봐.

250원   650원   700원

①

금액(원) 160, 560, 610, 650

10+50+100=160
10+50+500=560
10+100+500=610
50+100+500=650

②

금액(원) 200, 600, 650

50+50+100=200
50+50+500=600
50+100+500=650

③

금액(원) 120, 520, 610

10+10+100=120
10+10+500=520
10+100+500=610

④

금액(원) 110, 560, 600

10+50+50=110
10+50+500=560
50+50+500=600

⑤

금액(원) 200, 250, 600, 650, 700

50+50+100=200   50+100+100=250
50+50+500=600   50+100+500=650
100+100+500=700

⑥

금액(원) 150, 200, 600, 650

50+50+50=150   50+50+100=200
50+50+500=600   50+100+500=650

금액 만들기

50원, 100원, 500원짜리 동전이 여러 개 있습니다. 주어진 금액을 만드는 방법을 나타낸 표를 완성하세요.

100원짜리 1개를 50원짜리 2개로 바꿔 가면서 표를 완성해.

200원

	동전 개수	
	100원	50원
①	2	
②	1	2
③		4

❶ 300원

	동전 개수	
	100원	50원
①	3	
②	2	2
③	1	4
④		6

❷ 350원

	동전 개수	
	100원	50원
①	3	1
②	2	3
③	1	5
④		7

❸ 400원

	동전 개수	
	100원	50원
①	4	
②	3	2
③	2	4
④	1	6
⑤		8

❹ 450원

	동전 개수	
	100원	50원
①	4	1
②	3	3
③	2	5
④	1	7
⑤		9

❺ 500원

	동전 개수		
	500원	100원	50원
①	1		
②		5	
③		4	2
④		3	4
⑤		2	6
⑥		1	8
⑦			10

❻ 550원

	동전 개수		
	500원	100원	50원
①	1		1
②		5	1
③		4	3
④		3	5
⑤		2	7
⑥		1	9
⑦			11

pensées

금액 만들기

DAY 5

금액의 가짓수

주어진 동전으로 금액을 만드는 방법을 나타낸 표를 완성하고, 만들 수 있는 금액의 가짓수를 구하세요.

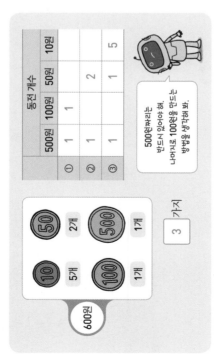

600원 — 50원 2개, 500원 1개, 10원 5개, 100원 1개

	500원	100원	50원	10원
①	1	1		
②	1		2	
③	1		1	5

3 가지

> 500원짜리는 반드시 있어야 해. 나머지로 100원을 만드는 표를 생각해야 봐.

① 300원 — 50원 4개, 500원 1개, 10원 5개, 100원 2개

	500원	100원	50원	10원
①		2	2	
②		2	1	5
③		1	4	
④		1	3	5

4 가지

pensées

② 400원 — 50원 2개, 500원 1개, 10원 10개, 100원 3개

	500원	100원	50원	10원
①		3	2	
②		3	1	5
③		3		10
④		2	2	10

4 가지

③ 700원 — 50원 2개, 500원 1개, 10원 5개, 100원 2개

	500원	100원	50원	10원
①	1	2		
②	1	1	2	
③	1	1	1	5

3 가지

확인학습

① 주어진 동전 중에서 3개를 사용하여 만들 수 있는 금액에 모두 ○표 하세요.

| 560원 | 120원 |
| 700원 | 750원 |

500 + 50 + 10 = 560
500 + 100 + 100 = 700

②

| 670원 | 520원 |
| 160원 | 70원 |

50 + 10 + 10 = 70
100 + 50 + 10 + 10 = 160
500 + 10 + 10 = 520

❖ 주어진 동전으로 금액을 만드는 방법을 나타낸 표를 완성하고, 만들 수 있는 금액의 가짓수를 구하세요.

③

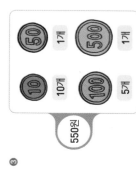

550원

10원 10개
50원 1개
100원 5개
500원 1개

| | 동전 개수 | | |
500원	100원	50원	10원
① 1		1	
② 1			5
③	5	1	
④	5		5
⑤	4	1	10

5 가지

팡세 B4_키우팅

DAY 1

동전과 주사위

✏️ 주어진 것을 동시에 던졌을 때 나올 수 있는 경우의 수를 구하세요.

[방법 1] 나뭇가지 그림으로 나타내기

그림면 1 — 1, 2, 3, 4, 5, 6
숫자면 1 — 1, 2, 3, 4, 5, 6

따라서 모두 12가지입니다.

[방법 2] 곱을 이용하기

동전과 주사위를 동시에 던졌을 때 나올 수 있는 경우의 수는 2×6=12(가지)입니다.

| 2 | × | 6 | = | 12 | 가지 |

동전 한 개를 던질 때 나올 수 있는 경우의 수는 동전은 2가지, 주사위는 6가지야.

①
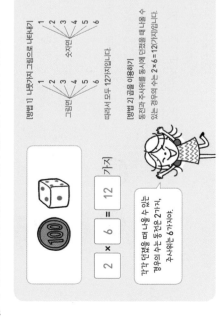

| 2 | × | 2 | = | 4 | 가지 |

100원짜리 동전: 2가지
500원짜리 동전: 2가지
경우의 수: 2×2=4(가지)

②

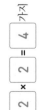

| 6 | × | 6 | = | 36 | 가지 |

노란색 주사위: 6가지
파란색 주사위: 6가지
경우의 수: 6×6=36(가지)

④

| 2 | × | 2 | × | 6 | = | 24 | 가지 |

100원짜리 동전: 2가지
500원짜리 동전: 2가지
주사위: 6가지
경우의 수: 2×2×6=24(가지)

③

| 2 | × | 2 | × | 2 | = | 8 | 가지 |

50원짜리 동전: 2가지
100원짜리 동전: 2가지
500원짜리 동전: 2가지
경우의 수: 2×2×2=8(가지)

⑤
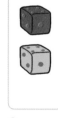

| 2 | × | 2 | × | 2 | × | 2 | = | 16 | 가지 |

10원짜리 동전: 2가지, 50원짜리 동전: 2가지,
100원짜리 동전: 2가지, 500원짜리 동전: 2가지
경우의 수: 2×2×2×2=16(가지)

⑥

| 2 | × | 2 | × | 2 | × | 6 | = | 48 | 가지 |

10원짜리 동전: 2가지, 100원짜리 동전: 2가지,
500원짜리 동전: 2가지, 주사위: 6가지
경우의 수: 2×2×2×6=48(가지)

DAY 2

줄 세우기

한 줄로 세우는 방법은 모두 몇 가지인지 구하세요.

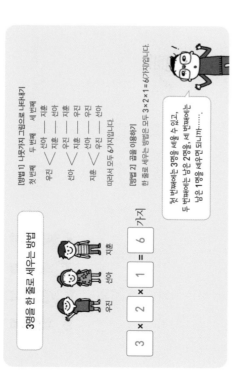

3명을 한 줄로 세우는 방법

우진 선아 지훈

3 × 2 × 1 = 6 가지

[방법 1] 나뭇가지 그림으로 나타내기

첫 번째	두 번째	세 번째
우진	선아	지훈
우진	지훈	선아
선아	지훈	우진
선아	우진	지훈
지훈	선아	우진
지훈	우진	선아

따라서 모두 6가지입니다.

[방법 2] 곱을 이용하기

한 줄로 세우는 방법은 모두 3 × 2 × 1 = 6(가지)입니다.

첫 번째에는 3명을 세울 수 있고, 두 번째에는 남은 2명을, 세 번째에는 남은 1명을 세우면 되니까……

❶ **2명을 한 줄로 세우는 방법**

2 × 1 = 2 가지

첫 번째에는 2명, 두 번째에는 남은 1명을 세울 수 있습니다.

❷ **4명을 한 줄로 세우는 방법**

4 × 3 × 2 × 1 = 24 가지

첫 번째에는 4명, 두 번째에는 남은 3명, 세 번째에는 남은 2명, 네 번째에는 남은 1명을 세울 수 있습니다.

❸ **3개를 한 줄로 세우는 방법**

3 × 2 × 1 = 6 가지

첫 번째에는 3개, 두 번째에는 남은 2개, 세 번째에는 남은 1개를 세울 수 있습니다.

❹ **5개를 한 줄로 세우는 방법**

5 × 4 × 3 × 2 × 1 = 120 가지

첫 번째에는 5개, 두 번째에는 남은 4개, 세 번째에는 남은 3개, 네 번째에는 남은 2개, 다섯 번째에는 남은 1개를 세울 수 있습니다.

pensées

4주차 가짓수의 곱

DAY 3

조건에 맞게 줄 세우기

✏️ 조건에 맞게 한 줄로 세우는 방법은 모두 몇 가지인지 구하세요.

3명 중 2명을 한 줄로 세우는 방법

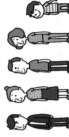

6 가지

[방법 1] 나뭇가지 그림으로 나타내기

첫 번째   두 번째
우진 〈 선아
         지훈
선아 〈 우진
         지훈
지훈 〈 우진
         선아

따라서 모두 6가지입니다.
남은 사람은 생각하지 않아도 됩니다.

[방법 2] 곱 이용하기
한 줄로 세우는 방법은 모두 3×2=6(가지)입니다.

첫 번째에는 3명을 세울 수 있고,
두 번째에는 첫 번째에 세운 사람을
뺀 2명을 세울 수 있어.

❶ 4명 중 2명을 한 줄로 세우는 방법

12 가지

첫 번째에는 4명, 두 번째에는 남은 3명을 세울 수 있습니다.
따라서 한 줄로 세우는 방법은 4×3=12(가지)입니다.

남은 사람은 생각하지 않아도 됩니다.

❷ 5명 중 2명을 한 줄로 세우는 방법

20 가지

첫 번째에는 5명을 세울 수 있고, 두 번째에는 남은 4명을 세울 수 있습니다.
따라서 한 줄로 세우는 방법은 5×4=20(가지)입니다.

❸ 4명 중 3명을 한 줄로 세우는 방법

24 가지

첫 번째에는 4명, 두 번째에는 남은 3명, 세 번째에는 남은 2명을 세울 수 있습니다.
따라서 한 줄로 세우는 방법은 4×3×2=24(가지)입니다.

❹ 3개 중 2개를 한 줄로 세우는 방법

6 가지

첫 번째에는 3개를 세울 수 있고, 두 번째에는 남은 2개를 세울 수 있습니다.
따라서 한 줄로 세우는 방법은 3×2=6(가지)입니다.

❺ 4개 중 2개를 한 줄로 세우는 방법

12 가지

첫 번째에는 4개, 두 번째에는 남은 3개를 세울 수 있습니다.
따라서 한 줄로 세우는 방법은 4×3=12(가지)입니다.

DAY 4

수 만들기

주어진 숫자 카드를 사용하여 만들 수 있는 조건에 맞는 수의 개수를 구하세요.

세 자리 수 [0] [1] [4]

$2 \times 2 = 4$ 개

백의 자리	십의 자리	일의 자리	세자리 수
1	0	4	→ 104
1	4	0	→ 140
4	0	1	→ 401
4	1	0	→ 410

백의 자리에는 0을 뺄 2개,
십의 자리에는 남은 2개가 올 수 있습니다.
따라서 세 자리 수는 모두 2×2=4(개)입니다.

앞에서 배운 한 줄로 세우기와 비슷한 문제야.

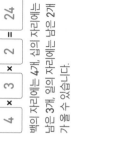

① **두 자리 수** [2] [6]

$2 \times 1 = 2$ 개

십의 자리에는 2개, 일의 자리에는
남은 1개가 올 수 있습니다.

② **두 자리 수** [3] [5] [8]

$3 \times 2 = 6$ 개

십의 자리에는 3개, 일의 자리에는
남은 2개가 올 수 있습니다.

③ **두 자리 수** [2] [5] [6] [9]

$4 \times 3 = 12$ 개

십의 자리에는 4개, 일의 자리에는
남은 3개가 올 수 있습니다.

④ **세 자리 수** [1] [3] [4] [8]

$4 \times 3 \times 2 = 24$ 개

백의 자리에는 남은 3개, 십의 자리에는
남은 2개, 일의 자리에는 남은 2개
가 올 수 있습니다.

⑤ **두 자리 수** [0] [3] [7]

$2 \times 2 = 4$ 개

십의 자리에는 0을 뺄 2개, 일의 자
리에는 남은 2개가 올 수 있습니다.

⑥ **세 자리 수** [0] [2] [4] [9]

$3 \times 3 \times 2 = 18$ 개

백의 자리에는 0을 뺄 3개, 십의 자
리에는 남은 3개, 일의 자리에는 남
은 2개가 올 수 있습니다.

4주차 가짓수의 곱

DAY 5 조건에 맞게 수 만들기

주어진 숫자 카드를 사용하여 만들 수 있는 조건에 맞는 수의 개수를 구하세요.

백의 자리	십의 자리	일의 자리	세 자리 수
5	2	8	528
5	8	2	582
8	2	5	825
8	5	2	852

백의 자리에는 숫자 2를 뺀 2개, 십의 자리에는 남은 2개, 일의 자리에는 남은 1개가 올 수 있습니다.
따라서 400보다 큰 세 자리 수는 모두 2×2×1=4(개)입니다.

400보다 큰 세 자리 수

2	5	8

4 개

---

❶ **700보다 큰 세 자리 수**

1	3	9

2 개

백의 자리에는 숫자 1, 3을 뺀 1개, 십의 자리에는 남은 2개, 일의 자리에는 남은 2개가 올 수 있습니다.
따라서 700보다 큰 세 자리 수는 모두 1×2×1=2(개)입니다.
700보다 큰 세 자리 수를 직접 구해 보면 913, 931입니다.

❷ **50보다 작은 두 자리 수**

1	4	6

4 개

십의 자리에는 숫자 6을 뺀 2개, 일의 자리에는 남은 2개가 올 수 있습니다.
따라서 50보다 작은 두 자리 수는 모두 2×2=4(개)입니다.
50보다 작은 두 자리 수를 직접 구해 보면 14, 16, 41, 46입니다.

---

❸ **30보다 큰 두 자리 수**

0	2	5

2 개

십의 자리에는 숫자 0, 2를 뺀 1개, 일의 자리에는 남은 2개가 올 수 있습니다. 따라서 30보다 큰 두 자리 수는 모두 1×2=2(개)입니다.
30보다 큰 두 자리 수를 직접 구해 보면 50, 52입니다.

❹ **400보다 작은 세 자리 수**

0	1	7

2 개

백의 자리에는 숫자 0, 7을 뺀 1개, 십의 자리에는 남은 2개, 일의 자리에는 남은 1개가 올 수 있습니다.
따라서 400보다 작은 세 자리 수는 모두 1×2×1=2(개)입니다.
400보다 작은 세 자리 수를 직접 구해 보면 107, 170입니다.

---

❺ **600보다 큰 세 자리 수**

1	3	6	8

12 개

백의 자리에는 숫자 1, 3을 뺀 2개, 십의 자리에는 남은 3개, 일의 자리에는 남은 2개가 올 수 있습니다.
따라서 600보다 큰 세 자리 수는 모두 2×3×2=12(개)입니다.

❻ **500보다 작은 세 자리 수**

0	4	7	9

6 개

백의 자리에는 숫자 0, 7, 9를 뺀 1개, 십의 자리에는 남은 3개, 일의 자리에는 남은 2개가 올 수 있습니다.
따라서 500보다 작은 세 자리 수는 모두 1×3×2=6(개)입니다.

백의 자리에는 2가 오면 안 돼.

...pensées

확인학습

✏️ 쌓기나무를 한 줄로 쌓는 방법은 모두 몇 가지인지 구하세요.

❶

3개를 쌓는 방법

[6] 가지

1층에는 3개, 2층에는 남은 2개, 3층에는 남은 1개를 쌓을 수 있습니다.
따라서 한 줄로 쌓는 방법은 3×2×1=6(가지)입니다.

❷

4개를 쌓는 방법

[24] 가지

1층에는 4개, 2층에는 남은 3개, 3층에는 남은 2개, 4층에는 남은 1개를 쌓을 수 있습니다.
따라서 한 줄로 쌓는 방법은 4×3×2×1=24(가지)입니다.

✏️ 주어진 숫자 카드를 사용하여 만들 수 있는 조건에 맞는 수의 개수를 구하세요.

❸

40보다 작은 두 자리 수

| 0 | 3 | 6 |

[2] 개

십의 자리에는 숫자 0, 6을 뺀 1개가 올 수 있습니다. 일의 자리에는 남은 2개가 올 수 있습니다.
따라서 40보다 작은 두 자리 수는 모두 1×2=2(개)입니다.
40보다 작은 두 자리 수를 직접 구해 보면 30, 36입니다.

❹

600보다 작은 세 자리 수

| 0 | 2 | 7 | 8 |

[6] 개

백의 자리에는 숫자 0, 7, 8을 뺀 1개, 십의 자리에는 남은 3개, 일의 자리에는 남은 2개가 올 수 있습니다.
따라서 600보다 작은 세 자리 수는 모두 1×3×2=6(개)입니다.
600보다 작은 세 자리 수를 직접 구해 보면 207, 208, 270, 278, 280, 287입니다.

마무리 평가

TEST

마무리 평가

제한 시간 15분
맞은 개수 /8개
pensées

❖ 집에서 공원까지 자전거 또는 버스를 타고 갈 수 있습니다. 공원까지 가는 방법은 모두 몇 가지인지 알아보세요.

❶

2 + 3 = 5 가지

❷

4 + 2 = 6 가지

❖ 가에서 나를 지나 다까지 가는 가장 짧은 길의 수를 구하세요.

❸

30 가지

가 ➡ 나: 3가지, 나 ➡ 다: 10가지
따라서 모두 3×10=30(가지)입니다.

❹

12 가지

가 ➡ 나: 4가지, 나 ➡ 다: 3가지
따라서 모두 4×3=12(가지)입니다.

54

❖ 주어진 동전 중에서 3개를 사용하여 만들 수 있는 금액의 가짓수를 구하세요.

❺

5 가지

50+10+10=70   50+50+10=110
500+10+10=520   500+50+10=560
500+50+50=600

❻

7 가지

50+50+10=110   100+50+10=160
100+50+50=200   500+50+10=560
500+50+50=600   500+100+10=610
500+100+50=650

❖ 주어진 것을 동시에 던졌을 때 나올 수 있는 경우의 수를 구하세요.

❼

8 가지

10원짜리 동전: 2가지,
100원짜리 동전: 2가지,
500원짜리 동전: 2가지
따라서 나올 수 있는 경우의 수는
2×2×2=8(가지)입니다.

❽

72 가지

100원짜리 동전: 2가지,
노란색 주사위: 6가지,
파란색 주사위: 6가지
따라서 나올 수 있는 경우의 수는
2×6×6=72(가지)입니다.

마무리 평가

55

TEST 2 마무리 평가

❖ 집에서 문구점을 지나 학교까지 가는 방법은 모두 몇 가지인지 알아보세요. 한 번 지난 곳은 다시 지나지 않습니다.

❶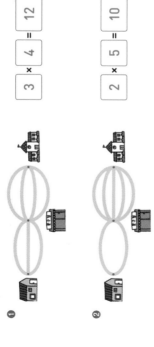

$3 \times 4 = $ 12 가지

❷

$2 \times 5 = $ 10 가지

❖ 가에서 나까지 가는 가장 짧은 길의 수를 구하세요.

❸

12 가지

$3 \times 4 = 12$(가지)

❹

20 가지

$20 \times 1 = 20$(가지)

❖ 주어진 금액을 만드는 방법을 나타낸 표를 완성하고, 만들 수 있는 금액의 가짓수를 구하세요.

❺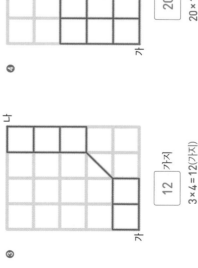

650원

	500원	100원	50원	10원
		동전 개수		
①	1	1	1	5
②	1	1	1	5
③	1	1	2	5

3 가지

❖ 주어진 숫자 카드를 사용하여 만들 수 있는 조건에 맞는 수의 개수를 구하세요.

❻ 2 4 6 7

세 자리 수

24 개

백의 자리에는 4개, 십의 자리에는 남은 3개, 일의 자리에는 남은 2개가 올 수 있습니다.
따라서 세 자리 수는 모두 $4 \times 3 \times 2 = 24$(개)입니다.

❼ 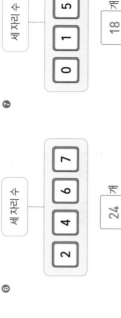 0 1 5 8

세 자리 수

18 개

백의 자리에는 0을 뺀 3개, 십의 자리에는 남은 3개, 일의 자리에는 남은 2개가 올 수 있습니다.
따라서 세 자리 수는 모두 $3 \times 3 \times 2 = 18$(개)입니다.

마무리 평가

TEST 3 마무리 평가

제한 시간 15분
맞은 개수 ___ / 7개

Pensées

❖ 가에서 나까지 가는 길을 모두 그려 보고, 모두 몇 가지인지 구하세요. 한 번 지난 곳은 다시 지나지 않습니다.

①

가

나

3 가지

②

가

나

6 가지

❖ 가에서 나까지 가는 가장 짧은 길을 구하려고 합니다. 길이 모이는 곳에 길이의 수를 써넣고, 가장 짧은 길의 수를 구하세요.

③

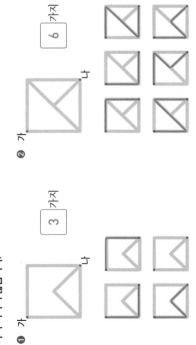

가

7 가지

나

④

가

14 가지

나

❖ 주어진 금액을 만드는 방법을 나타낸 표를 완성하고, 만들 수 있는 금액의 가짓수를 구하세요.

⑤

600원

50원 2개
500원 1개
10원 10개
100원 1개

	동전 개수			
	500원	100원	50원	10원
①	1	1		
②	1		2	
③	1		1	5
④	1		1	10

4 가지

❖ 조건에 맞게 쌓기나무를 한 줄로 쌓는 방법은 모두 몇 가지인지 구하세요.

⑥

4개 중 2개를 쌓아 쌓는 방법

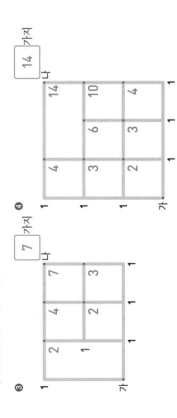

12 가지

1층에는 4개, 2층에는 남은 3개를 쌓을 수 있습니다. 따라서 한 줄로 쌓는 방법은
4×3=12(가지)입니다.

⑦

4개 중 3개를 쌓아 쌓는 방법

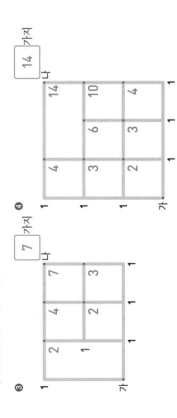

24 가지

1층에는 4개, 2층에는 남은 3개, 3층에는 남은 2개를 쌓을 수 있습니다. 따라서 한 줄로 쌓는 방법은
4×3×2=24(가지)입니다.

평셈 B4_카운팅

TEST 4 마무리 평가

❖ 집에서 은행까지 가는 방법은 모두 몇 가지인지 구하세요. 한 번 지난 곳은 다시 지나지 않습니다.

❶

마트를 지나서 가는 방법이 2×3=6(가지), 마트를 지나지 않고 바로 가는 방법이 1가지이므로 모두 6+1=7(가지)입니다.

[7] 가지

❷ 마트를 지나서 가는 방법이 4×2=8(가지), 마트를 지나지 않고 바로 가는 방법이 2가지이므로 모두 8+2=10(가지)입니다.

[10] 가지

❖ 가에서 나를 지나 다까지 가는 가장 짧은 길의 수를 구하세요.

❸

가➡나: 6가지
나➡다: 2가지
따라서 모두 6×2=12(가지)입니다.

[12] 가지

❹

가➡나: 2가지
나➡다: 7가지
따라서 모두 2×7=14(가지)입니다.

[14] 가지

60 마무리 평가

❖ 주어진 동전 중에서 3개를 사용하여 만들 수 있는 금액에 모두 ◯표 하세요.

❺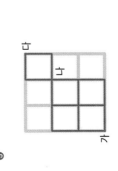

50+50+10=110
100+50+50=200
500+50+10=560

110원 (200원)
560원 660원

❻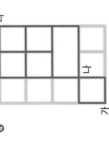

100+100+10=210
500+100+100=700

120원 (210원)
520원 (700원)

❖ 주어진 숫자 카드를 사용하여 만들 수 있는 조건에 맞는 수의 개수를 구하세요.

❼ 600보다 큰 세 자리 수

 5 7 9

백의 자리에는 숫자 5를 빼고 2개, 십의 자리에는 남은 2개, 일의 자리에는 남은 1개가 올 수 있습니다.
따라서 600보다 큰 세 자리 수는 모두 2×2×1=4(가지)입니다.

[4] 개

❽ 500보다 작은 세 자리 수

0 4 8

백의 자리에는 숫자 0, 8을 빼고 1개, 십의 자리에는 남은 2개, 일의 자리에는 남은 1개가 올 수 있습니다.
따라서 500보다 작은 세 자리 수는 모두 1×2×1=2(가지)입니다.

[2] 개

마무리 평가 61

마무리 평가

TEST 5 | 마무리 평가

❖ 가에서 나까지 가는 길을 모두 그려 보고, 모두 몇 가지인지 구하세요. 한 번 지난 곳은 다시 지나지 않습니다.

① 6 가지

② 7 가지

❖ 가에서 나까지 가는 가장 짧은 길의 수를 구하세요.

③ 9 가지

3×3=9(가지)

④ 10 가지

10×1=10(가지)

❖ 주어진 동전의 금액을 구하세요.

⑤ 670 원

⑥ 730 원

⑦ 900 원

❖ 글자를 순서대로 쓰는 방법은 모두 몇 가지인지 구하세요.

⑧ 세 글자를 순서대로 쓰는 방법

가 나 다

6 가지

순서대로 쓰는 방법은 3×2×1=6(가지)입니다.

⑨ 네 글자를 순서대로 쓰는 방법

가 나 다 라

24 가지

순서대로 쓰는 방법은 4×3×2×1=24(가지)입니다.

pensées

pensées

₩i우엠 지식과상상 연구소 since 2013

교재 소개 및 난이도 안내

*일부 교재 출시 예정입니다.

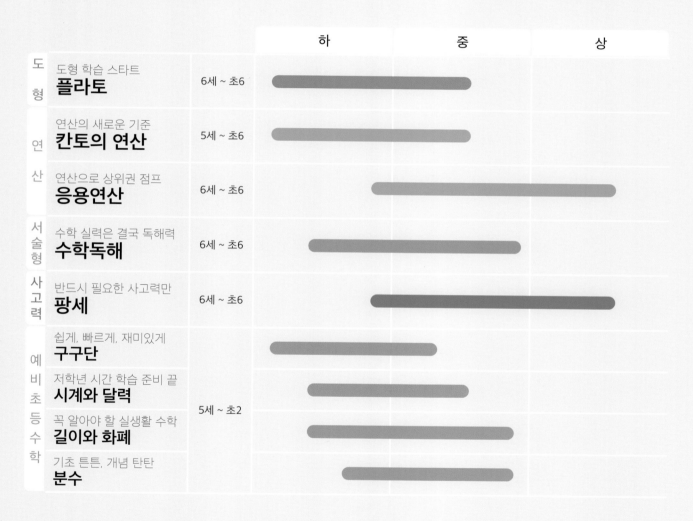

분류	교재	연령	하	중	상
도형	도형 학습 스타트 **플라토**	6세 ~ 초6	━━━━━━		
연산	연산의 새로운 기준 **칸토의 연산**	5세 ~ 초6	━━━━━		
연산	연산으로 상위권 점프 **응용연산**	6세 ~ 초6		━━━━	━━━━
서술형	수학 실력은 결국 독해력 **수학독해**	6세 ~ 초6	━━	━━━	
사고력	반드시 필요한 사고력만 **팡세**	6세 ~ 초6		━━━━	━━━━
예비초등수학	쉽게, 빠르게, 재미있게 **구구단**	5세 ~ 초2	━━━		
예비초등수학	저학년 시간 학습 준비 끝 **시계와 달력**	5세 ~ 초2	━━━		
예비초등수학	꼭 알아야 할 실생활 수학 **길이와 화폐**	5세 ~ 초2	━━	━━	
예비초등수학	기초 튼튼, 개념 탄탄 **분수**	5세 ~ 초2		━━━	

Man is but a reed,
the most feeble thing in nature;
but he is a thinking reed,

"인간은 자연에서 가장 연약한 갈대에 불과하다.
하지만 인간은 생각하는 갈대이다."

Blaise Pascal, 블레즈 파스칼